こちら葛飾区亀有公園前派出所⑤

庫

治

こちら葛飾区
亀有公園前
派出所⑤
目次

新任警官
麻里愛登場♡の巻
BMW
MOMOK
YAMAHA
YZR
KAWASAKI

へーくしょん！

ん!?なぜふとんの中にくつが…

あーっ!!!
玄関で寝ていたのか!!

よっぱらって部屋にもどり力尽きて寝てしまったらしいな

げっ…！15日の午後1時!?
31時間も寝てしまった！

どうりでハラも減るわけだ
少し腹ごしらえしなきゃ！

仕事終えて帰ったとたんすぐ出勤か！くそ！
なんとあわただしい！

あぶなかったなァ
カシャ
カシャ
線路で寝てたら一巻の終わりだ

しかし31時間だれ一人気づかないとは…
一人暮らしは実に哀れだ!!

ザ
あぶねえ!

きゃっ

あいたた…!
おい大丈夫か!?

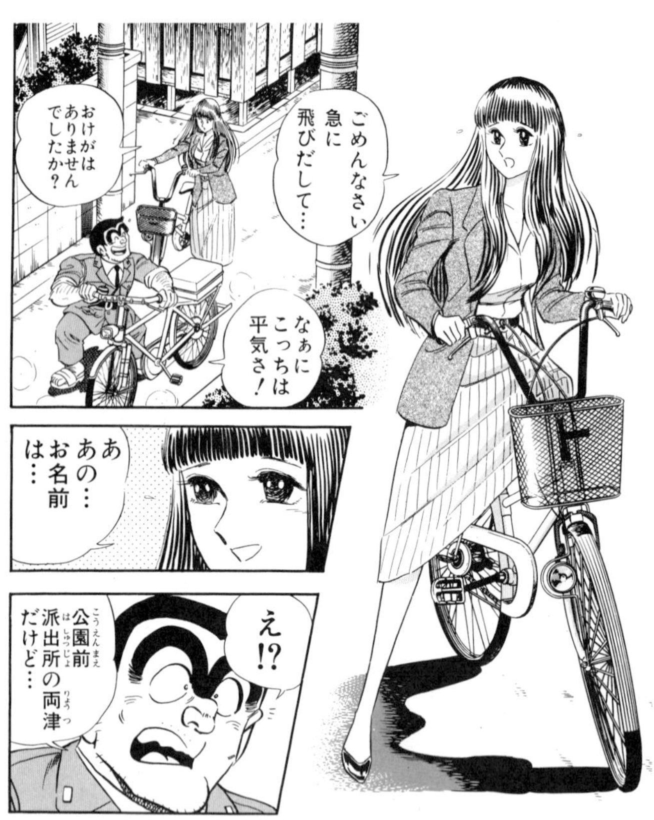
ごめんなさい
急に
飛びだして…
おけがは
ありません
でしたか？
なぁに
こっちは
平気さ！
あ
あの…
お名前
は…
え！？
公園前派出所の両津だけど…

とにかく
無事で
よかった！
じゃあ

いやぁ
なんて美人
なんだ！
ねむ気が
ふっ飛んだよ
！

両津さん…ね
すてきな方！

数週間後
亀有公園前派出所
秋の交通安
そんなにきれいな人ですか

今でもしっかり覚えてるよ
実に日本的な美人だ

麗子とはタイプの違う美人だな

か細い上品な声でな
両津様

そう！ちょうどそんな声…
え!?

あっ
あの時の!!
やっぱり
ここの派出所
だったわ!

会えて
うれしい
わ!!
ギュッ
うぷ

グイ
ちょっと
待って
くれ!!
なんで
制服を
着てるん
だ!?

今日から ここの
派出所勤務に
なった
麻里 愛巡査だ!
えっ
婦警
だったん
ですか!?
お前たち
知り合い
なのか?
いや その…
まさか
同業者
だったとは…

あなたに会うために警察官になったのよ!!
ギュッ
うおっ

あの人だったのか?
すごく積極的な人ね!

上手ねぇ愛さん!

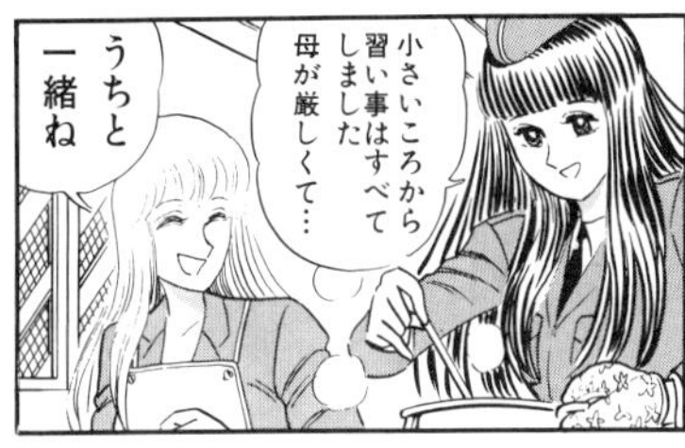
小さいころから習い事はすべてしました母が厳しくて…
うちと一緒ね

しつけもよく上品で本当にお嫁さんにしたいタイプですね
まさかわしに会いに婦警になってくるとは…

よほど先輩のことが好きなんですよ!
そ そうかな…は・は・は…
デレ

一人暮らしもそろそろ限界と思っていたんですよ
むこうが気に入ってくれるなど20年に一度あるかないかだ

これがラストチャンスだこの機を逃すなよ!
はい!
結婚が決まりましたら ぜひ部長に仲人を!
ペコ
まかせておけ段取りはすべてわしがやる

いやぁ世の中バラ色に見えるな
あんな美人に好かれるなんて!

両様♡味見していただけますか?
はいはーい!

お夜食のビーフストロガノフなんですけど…
パク

うま〜〜いこの世のものとは思えないう〜んデリシャス!!
じ〜ん
うれしいわっ!よかった!

これでわしの肩の荷もおりた気分だ!
家庭を持てば先輩も少しは落ちつくでしょう

料理の続きをしてきます
じゃあねがんばってね！

字も立派だな書道の心得もある！
なるほど
愛ちゃんのことですか？

麻里愛(マリア)とも読めるな！
マリアか！
氏名 麻里愛
警視庁

わしにとってマリアだからな！
これから・・マリアちゃん両様と呼び合おう！

麗子さんはいいのかな!?
え!?なんのことだ!?

先輩に 気があるような感じがするんですが…
そうか！あいつもわしのことが好きなのか!?

よし！ここはひとつ男のけじめをつけよう！

もてる男はこれだからつらいよ！
パン
いやぁまいったまいった

えっ 愛さんと結婚を前提につき合う!?

冗談でしょう!
麗子が否定したい気持ちはわかる! しかし…
あきらめてくれ わしの体はひとつなんだ!

だって愛さんは男性よ!
え!? 男!?

バカいうな! どっから見ても女じゃないか!
本人からきいたのよ

去年まではキックボクサーだったんですって!
なに!! キックボクサー!?

うそをつけ あんな細い体で!?
じゃあ本人にきいてみたらいいわ!

ぶ部長… まさか…
どうも話がうまくいきすぎると思ってた…

ええ!
私 一応
男ですけど
……
本当
なんだ…
なんて
こった!!
男だった
とは…
それが
どうか
したの
ですか!?
どうか
しすぎ
だろう
が!
ド
わしは
お前と
結婚を
しようかと
思っちゃっ
たんだぞ
!
私は
そのつもり
です
何か問題が
あるの
ですか?
問題
大あり
だろう
が!!!
ドドド
わしは
男で!
あんたも
男だろ!!
男と男で
どうしようと
いうんだ!!
え!?
私が嫌い
なんです
か!?
ダ
好きとか
嫌いとか
じゃない!
麻里愛さんの
女心を理解して
あげないと
かわいそうよ!
どこが
女心だ!!
男心だ
ろうが!!
男なんだ
から!

男心に男が惚れるという例もあるでしょう
意味が違うんだよ!!
大好きだといってたのにそんな小さな理由で嫌いになるなんて…ひどい人!
だって今までは女だと思っていたからこそ……

落ちついて考えてくれよ! この方は男で私も男!!
外見はまったく違うけど!
だから男が男を……
じわっ

せっかく警官になって会いにきたのに…
あーあ泣かしちゃった!
えーん
えーん
えーん
おいおい泣くこたぁないだろ!

同僚を泣かすことはないだろ!両津!
かわいそうよ!

わかったわかった麻里愛ちゃん!
君の好きなようにしなさい!

ほんとですか
両様！
君を女だと思うことにするよ！
ははは…
よかった
うれしい！
ギュ
気持ちいいんだか悪いんだかわからん！
しかし
そのきゃしゃな体でキックボクシングをやってたとは信じられんな…
ほんと！
ボディービルのコンテストで入賞したこともあります
そんなばかな！
これが当時の写真です
あ！
本当だ…体は別人のようだが顔は同じだ…
よくあそこまでシェイプアップしたわね！
よく見ると筋肉がしまってる！
ガッチリした体なんだな
そうかしら

どのくらい強いか? わしとちょっと戦ってみようぜ
両様とはそんなことできないわ!
キックのポーズ見せてくれよ
このロッカーにキックしてみな
部長さんいいんですか…?
わしも見てみたいな
それじゃ……
軽く…
ドガッ
す すごい破壊力だ!
ごめんなさい 力をかげんしたのに…

現役の時は
かなり
強かったんじゃ
ないですか?
そう…
ねぇ…

50戦
50勝で
負けたことは
ありません
でした
ぞー っ
恐ろしい…
さっき
戦わなくて
よかった…

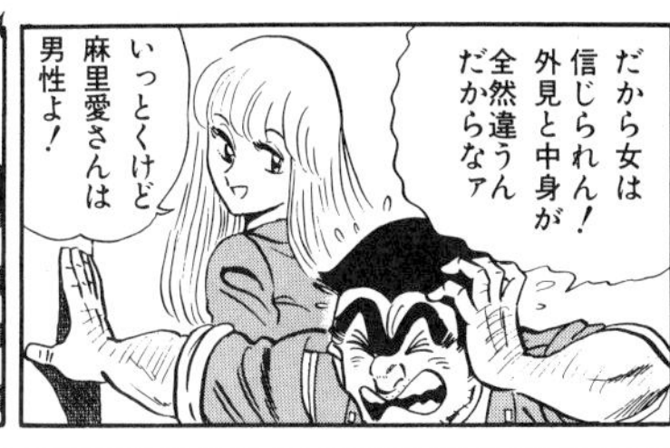
だから女は
信じられん!
外見と中身が
全然違うん
だからなァ
いっとくけど
麻里愛さんは
男性よ!

おい!
両さん
いるか!!

あっ 熊田!!
金 もう少し
待ってくれ!
今度の競馬で
当てて返すから!
だめだ!
先週も
同じことを
いったぞ

先週は
体調悪くて
外れたんだ!
来週は絶対…
だめだ
7万円
早く返せ!

その手を
はなしなさい
!

なんだ！
この婦警は
!?
来週返すと
いってるん
ですよ！
信じなさい！
両様に
もしものことが
あったら
許しませんよ！

ひっ
こん
でろ!!

む！
なんだ
こいつは？

素早い
フット
ワークだ！
さすが
50勝
だけある

女だからと
かんべん
しないぞ
!!
すぐに
もどって
きます！

熊田
悪いことはいわん
この方に
手をだすな！
うる
さいっ
どけっ
！

ばかだな
あいつ！
悪い時に
きたもんだ
気の毒
ですね
最強の
ボディー
ガードだな
両津！

両ちゃんが
浮気したら
大変よ！
ぞ〜〜〜
あばら骨
5 6本じゃ
すまんだろう
な…
おーこわ…

ただ
いま！
ニコッ

お おかえり
熊田のやつ
どうしたかな
？
うん！
木の上で
おねんね
してる！

な
なんだ
？
気がついたら
こんな所に…
いてて…

ちょっと待ってくれ!

本来 警察寮は相部屋がふつうなんだよ!
あんただけわがままで部屋を一人占めしてたんじゃないか!
外見は女なんだから 女子寮に入れるべきだろ男子寮はまずいよ!

両津
麻里
なんでわしと麻里愛が同室なんだよ!

私は両様のそばがいい!
こら! 今ばあさんと話し合ってるところだろ!!

・・・男同士何も気にすることないだろ
ちょ…ちょっと待てよおい!

近ごろはいろんな若者がいるからね! 理解しがたいよ

そうだ! 麻里愛いいことがある!
こうしよう!

ほら ここを
境界線に
しよう！
ね！
おたがいの
生活は
別々に
しよう！

じわっ

そんなに
私のこと
キライなん
ですか
わ
わかった
わしが
悪かった
!!

まいったな！
基本的に
男なんだから
どうってことない
はずなんだが…
う――む…
・・・・
こういう
共同生活は
まずいなあ！
毎日 寝不足に
なりそうだ！

★週刊少年ジャンプ1989年44号

麻里愛の秘密♡の巻
前回はこんなだった!
TOKYO
宮古

ん……!?
みそ汁のかおりが……
ななんだ?
ガバ
どうしてそんなものが!?
あっ!?
お目覚めですか? 両様♡
もうすぐ朝食ができますわ

そうか! ゆうべお前と一緒にこの部屋にきたんだ
わしは酔って寝てしまったのか
そうです
ついでに部屋を掃除しておきました!

よくこんなにスッキリとさせられたものだな
お掃除は好きですから

洗濯もしてくれたのか？
パンツまで…
はい

朝4時から掃除したのですけどさすがに時間がかかりましたわ
5年間まったく掃除などしなかったからな
ははは

男とは信じられんよどこから見ても女だよなあ…
トントン

え!?
いやなんでもない！

ちょっと質問していい？
麻里愛ちゃんの胸は本物？

これはパットが入ってます
ははは
ニセモノかあ！そうだよねえ！

…ってことはさあ！あの…その…
下の方もちゃんと…

両様と・・同じものがありますわ
ははは
そうか！わしと同じやつねなるほどね
まいったな

なんか残念なような安心したような複雑な気持ちだな
急に現実にもどされてしまった…

とにかくこれで一人暮らしにピリオドが打てたわけだ
ガチャ
トイレいってこう！

きのう先輩をむかえにくるのを忘れてたからな！
怒ってるだろうな

ギャッ
こんにちは！

はい！
あっ

ごめんなさい間違えました！
バタ

あーびっくりした！
どうして男子寮なのに女の人がいるんだろ？
ドキ
ドキ

たしかに先輩の部屋だ
おかしいな？
両津
麻里

あの…すみません
はい

両津さんの部屋はここですか?
ええそうですわ!

どうぞ上がってください
はあ…失礼します

まるで人の部屋みたいだけど
よーく見ると先輩の部屋って感じがする
おっ本田(ほんだ)か!
あっいた!

…ということは!あの人と結婚したのか!
そうか

結婚したんですね!おめでとうございます
結婚などしとらん!

えっだってあの女性がお嫁さんじゃないんですか!
違う!!一緒に暮らすことにはなったがな
じゃあ同棲!!

同棲はよくないですよ！
先輩ってそういう人だったんですね

一緒に暮らすといっても同棲とは違うんだよ！
それは男と女であって男と男は…

まあいいや！説明するのが面倒くさい

朝めしまだだろ食ってくか？
はい！

まともな朝食をとるのはなんか月ぶりかだな！うまい！
こんなに美しい人に作ってもらえてしあわせだな
パク
パク
まあ

本当のこと知ったら腰抜かすぞ
ズズ
え!?
なんでもない！早く食え！

松田自動車

えっ この人は男なんですか!?
そのとおり!

信じられない こんなきれいな人が!
一気に目が覚めたろ!

朝食など手馴れたものだぞ!
洋食もずいぶん詳しかったけど…どうして?
母が料理研究家の今村今日子なんです
えっ あの方の娘…いえ息子さん!

母は女の子がほしかったらしくて小さいころからお料理や花道などしつけがきびしくて……
父は空手師範の武術家ですのでやはり小さいころから父に体を鍛えられて……
親の教育方針がバラバラだな

麻里愛さんが載っている記事を見つけましたよ
どれどれ
キックの友

本当だ！本物のキックボクサーだったんだな
しかし名前が違うぞ
キックの星
麻里竜二(19)
無敵のキッカー
45戦45勝
空中飛び膝蹴り
日本最強の強さ

本名の愛じゃ迫力がないので…
現役時代は本当に強かったんだな！
週刊キックの友

しかし なぜ引退したんです？
麻里愛なぜなんだよ！

強くても 顔と体がアンバランスで全然女性にもてないんです 声も女性みたいでしたし…
BAR
スナック
パブ スナック
ひかる
スナック 仔ヤギ

その上 習い事はすべて上手で…
麻里さんお琴としゃみせんやるんですって！
まあ！変わったボクサーね
ほほほ
ちくしょう！
なぜもてないんだ！

麻里さん ヤケをおこさないで!
由美さん!!
ぼくには金も名誉も力もある!!
教えてくれ ぼくのどこがいけないというんだ!!
ガッ
顔よ!
女性よりも美しすぎてイヤミなのよ
えっ 顔!?
じっくり鏡で自分の顔を見て はじめて女顔ということに気づきました
そういえば女みたいだ……
こんな顔に生んだ親を恨み あれた日々が続きました 試合まで すっぽかしてしまったのです
女がなんだ!!
タイトルマッチ
試合中止
そんな時!
バカモノ!!
何をするんだ!

あっ!! 岩鉄コーチ!

両ちゃんに似てるの? そのコーチ!
すごく似てるんです

女にもてないくらいで情けないぞ麻里愛!!
私など39年間一度ももてたことがない!

コーチ!! なぜ ぼくにそんな告白を!?

君が女性に生まれていたら…
私は君にプロポーズしてたかも知れん…

ガガガーン
ええ!?

さらばだチャンピオン麻里愛
ボオオオ
コーチ!!
カーン
カーン

あれこそ男の姿だ!!
ぼくもコーチが好きだ!!
よし！コーチのために女になるぞ

それからボクサーをやめコーチのため ひたすら女性になることにしたのです
シェイプアップで徹底的に肉を落としました

日本舞踊の心得もあり女性らしさの下地があったので女性と間違われるほどになりました
女性にもてない私が男性にもてはじめてきたのです…

運命は皮肉でしたコーチは外国へいってしまったのです
コーチ様!!

それで両ちゃんに一目惚れしたわけ？
そう私の理想の人なんです♡
麻里愛物語か…シビアな過去だな

ボクサーだったなんて信じられないな
麻里愛！他人と戦っちゃいかんぞ！
えっ

両様を守るためでも…
元プロなんだぞ!やたら使ったらあぶないぞ!

いうことがきけないのか!?
ごめんなさい!
いわれたとおりにします!

お巡りさんバスがガードレールにぶつかってます!!

でかい声で怒鳴るな!まったく…
すぐ近くなんです!

私もついていきます
両様♡

先輩には忠実だなあ
理想の人ですものね!

BAT

BATプロレス
なんだ大したことないな！
あっお巡りさん

地方巡業にいくところなんですが…
ふむふむなるほど……

きゃあ
あっ!!

よせよお前ら麻里愛がいやがってるだろ！
グイ

ジャマダポリスマン！

あっ両様！

取調べハゲイシャポリスニヤッテモラオウ！
なにするの！

お前の所のレスラーだろ！なんとかしろ！
皆さん早くバスの中に入ってください!!
ウルサイ！
ブン
うわっ

気が立ってるんですよみんな！
マネージャーだろうが！まったく…

ガハハ
きゃあ両様！
ワハハハ

麻・里・愛ゆるすぞ！自力ででてこい!!

ウワ!!

バキャッ

な何事だ??うちのレスラーが!?
やるなぁ麻里愛のやつ…

ダッ
デガムッ!!
ガッ
ッ
ウッ!
ヒャアアアア
ッ
ドカ

クソ!
ウッ!?
ウオ!!
ドガッ

ワワッ
うおっ
でた!!
空中飛び膝蹴り!!
ノーー
イチヌケタ
さすが実戦なれしてますね…
女になっても強さは変らんな!

えっ
麻里愛を女子プロレスに!?

あなたならすぐにスターですよ
でも…私はだめです!

わかったろ!あきらめて帰りな!
あっそんな!
麻里愛さん!

彼女をメインに女子プロレスの新団体を作れば 絶対ヒロインです!ぜひ私に彼女を!
だから・・女子プロは無理なんだよ!あきらめろよ!!
説得は難しいだろうな…

★週刊少年ジャンプ1989年45号

嵐の大江戸船めぐりの巻

HIKARU
COFFEE

秋の旅行はクルーザーでクルージングですって!?

そう!クルーザーで豪快なフィッシングを楽しみ 夜は生バンドをききながら優雅にディナーを楽しむ!
旅行費一人5,000円でそんなことできるんですか?
信じられないわね!

すごい豪華船だな
豪華客船
クイーンズ
フランス料理
フィッシング
今、クルーズがブーム!!
貴族気分
1日夢の旅
今日はその船がチャーターできなかったのですが…まそれに近い船をとりました

さすが名幹事だ!
まかせてください私はいろんな所に顔がききますから!

旅行シーズンはどこも満員で確保するのが大変ですよ
竹芝桟橋に集合ですか!

浅草の吾妻橋に集まってくれ
吾妻橋に!?

ディナーの細かい打ち合わせにちょっといってくる

いやぁ旅行が楽しみだな
浅草に集合というのが気になるな…いやな予感がする!

松屋
10時の集合というのに両津のやつまだこないな
まったくいい加減なやつだ!
おーい中川
え!?
ここだここ!
あ!?
屋形船じゃないですか!?
二組に分かれてくれ戸塚たちはむこうの船だ
写真と全然違うぞ!
それはあくまでも参考じゃないすか!
5,000円でそんな船に乗ろうなんて図々しい!

豪快な釣りをしますから一人一本ずつ!
えっみんなで釣りをするのか?

当然でしょ!みんなの釣った魚がディナーになるんですから
えーっ!?

なんかサギみたいだなこれじゃ釣り船の川下りだぞ
東京湾の河口の船旅も優雅なもんですよ

部長ハゼばかりじゃないすか!タイやマグロを釣ってくださいよ
無茶いうな!!

船頭さん釣れた魚 早速天プラにしてくれ
あいよ

先輩
なんだよ

空がいきなり曇ってきましたよ
雨が降りそうだわ

知ってるよ!大雨洪水警報がでてるからな!嵐になるかもしれんぞ
え!?なぜそんな日に!

・・・そういう日だから格安ですいてるんだよ!
ゴロゴロゴロゴロ…
さすがというか…無謀というか…

ザザアアアン
ザアアアー
ザアアアー

ザアアー
やはり天プラは揚げたてが一番だ!
ますます激しくなってきた…
ザアアー
大丈夫かなこの船?

さっきからうるさいな早く食べろよ!
ザァァァ
ちゃんともどれますか?この船…
グラ
うわ
きゃあ
ゴオオオオ
嵐になってきた!
うわっ助けて!
やかましい!! 少しは静かにしろ!
船が揺れるのは当たり前だろうが!
酒をもっと飲め!! 自分が酔って揺れていれば 全然気にならん!
トクトク
もうムチャクチャだ

嵐を忘れるカラオケ大会！
豪華生バンド!!アコーディオンの横森さんの登場!!
プーカ
プーカ
プーカ
では僭越ながら一発目は私が歌います！
中森明菜の「難波船」!!
うわ!!
ドドドーーーン
ザザザーー
ばかやろうカラオケで盛り上がってる所なんだぞ!!
波が高すぎてまっすぐ進めないんだよ！

両津そこを早くしめろ！
すごい風だ！
ビュウウウ

さっき地震があって 東京湾に津波が発生してるらしい!
えー
くそ!・・・よわり目に・・・たたり目だな!

先輩もう中止しましょう
くく…仕方ない! あきらめるか

もう遅い 両国橋まで高波がきてる!
ドドドドド
うおっ

船をハジによせろ!
まともにくらったら転覆するぞ!!

ドバアアア
ひゃあ!
うわっ!!

みんな大丈夫か!?
思い切り押し流された!

川幅が狭くなりましたよ
あっ!

隅田川から神田川に入っちまったぞっ!!
ゴオオーオオ
すごい波の勢いだ!
屋形舟

まるで鉄砲水だどんどん押し流される
普通の船とくらべたらこの船は笹船みたいなもんですからね!

あっ!橋が!!
ゴオオオオ

ガリ ガリ ガリ
うわっ

増水で水深が上がってるんだ!
あぶねぇ! 屋根をはがされるところだった!

どんどん上流へのぼっていきますよ!
鮭じゃないんだぞまったく!

まてよ! 神田川をこのまま進んでいったら…
えっ!?

うわ
風が追い風になった!

見ろ
あっ

地下鉄丸ノ内線の線路まで水かさが上がってる!!
ゴゴゴゴゴ
線路の上を通過することになるぞ!

もし その時電車がきたら…
運を天にまかせるしかない
エンジン全開!一気に通過だ!

ピィィィ
うわっ地下鉄がきた!!

グオオオオオ
うわっ
ズズズ
ゴオオオ
ガタン
ガタン
ガタン
あぶなかったな！
ガタン
ガタン
ガタン
戸塚さんたちの船は!?
丸ノ内線に押されて地下鉄の中に入っていった！
かわいそうに…

池袋
あいたたたすごい振動だ！
押すんじゃない！こら!!
ガリガリガリガリ
ブオオオオ

早く逃げましょう!!
どうやって逃げるんだバカ!
ガタガタ
ガタガタ
ガタガタ

おっ止まった!!
本郷三丁目の駅か!!

よしっ脱出だ!
はい
ダッ

うわ!遅かった!!
ガリガリ
ガリガリ
ゴオオオオッ

がまんしろ次の駅で脱出する
ガタン
ガタン
ガタン
ガタガタ
ガタガタ
ははい!

うおっ外に!!
スポッ
ゴオオオオオ!
ガタン ガタン ガタン
後楽園

ガタン
ガタン
ガタン
ぎえっ
ドガガガ

神田川から
首都・東京を
眺める旅なんざ
おつなもん
でしょう
部長!!
バカモノ
早く
なんとか
しろっ!!
ゴオオオオオ

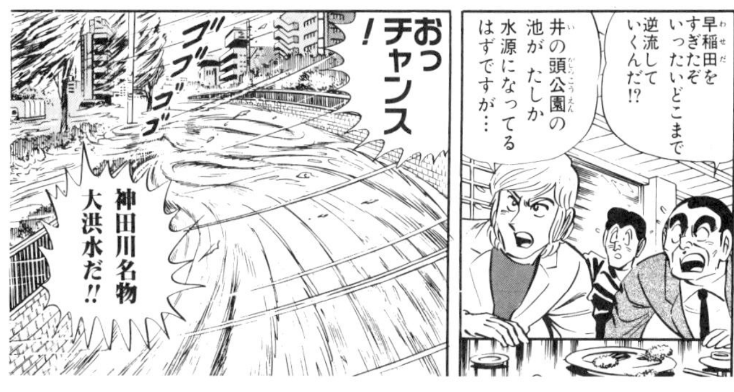
早稲田を
すぎたぞ
いったいどこまで
逆流して
いくんだ!?
井の頭公園の
池が たしか
水源になってる
はずですが…
おっ
チャンス
!
ゴゴゴゴ
神田川名物
大洪水だ!!

船頭!! エンジン全開で 神田川から 脱出だ!!
はは はい!
よし うまい!
ググググ
やった でた!!
先輩 うしろ!!
ゴゴゴ
ぎぇ!!
チン チン チン
ここは都電の 軌道敷内 ですよ! 先輩!!
線路に はまって カジがとれん
くそ!!
ヴォオオオ

先輩! 赤!!
ゴオオオオ
なにっ
もう遅い 船は急に 止まれん!!
ザザザ
ひゃあ!

ドドドドド
うひゃ
船は交差点に慣れてないんだぞよけてくれてもいいじゃないか!
くそっ!
ゴゴゴゴ
何か引き寄せられるぞ
ゲイ
ゲイ
なに!?
げっ
ゴゴゴゴゴ
地下鉄の入口!!
地下鉄
SUBWAY
エンジン逆回転だ!
もう間に合わない!!
ひゃあ!!
ゴオオオオ
地下鉄
SUBWAY

ガガガガガガッ
ぎえええええええ
グオオオオオ

★週刊少年ジャンプ1989年49号

追跡200キロ！
の巻

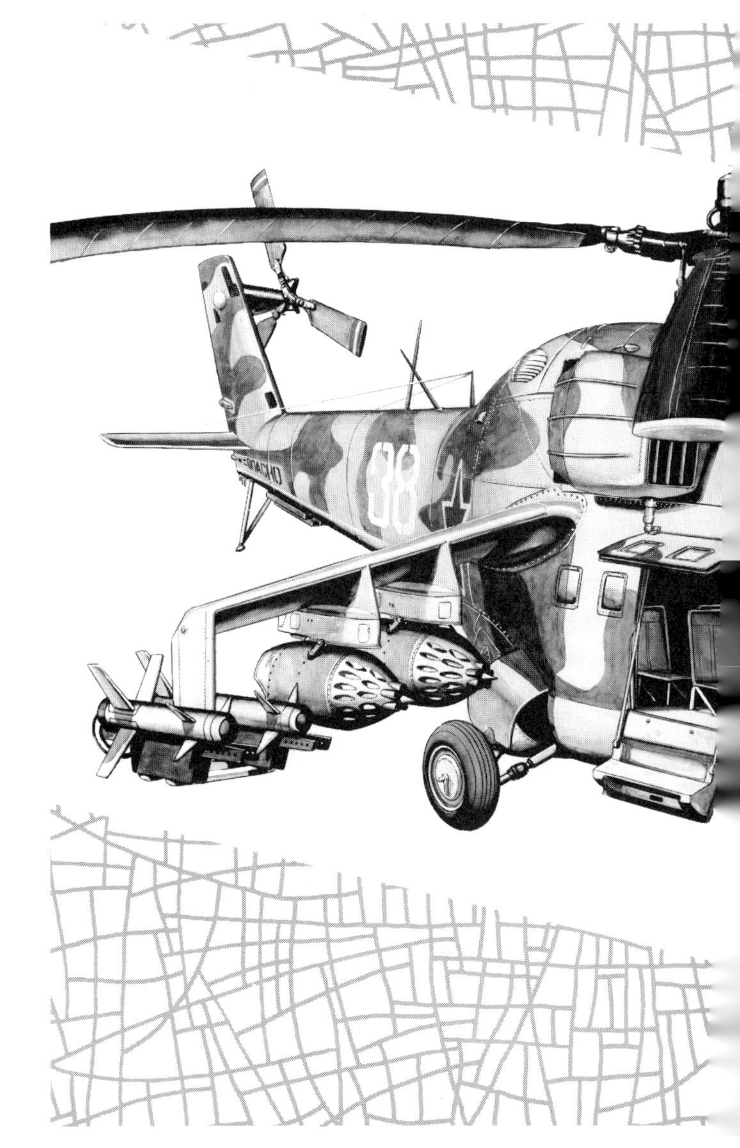
ОПАСНО
38

—ミルMi-24ハインド—

西側地上軍に最も恐れられていた旧ソ連の武装強襲ヘリコプターです。

胴体キャビンに完全武装の兵８名を収容し地上制圧をしながら前線に兵員を輸送することを主任務としています。

装備・57ミリロケット弾ポッド。AT-2スワッター対戦車ミサイル×４。

トビラ（P64～P65)は、対地攻撃、空対空戦闘能力を持つDタイプ。

装備・機首に４銃身のガトリングガン。

本文中で活躍するのは、対地攻撃が強化されたEタイプ。

装備・対戦車ミサイルAT-6スパイラル。

交通安全

これが
例の
エロ写真

両さんのためにやっと手に入れたんだぜ!
和菓子の包みとは実にうまいカムフラージュだ

またふたりでいやらしい話してるんでしょう
うるさいいちいちな!
あっちへいってろ!!

相変わらずさわがしい男だな!
あっ部長!?

非番の今日はおでかけですか?
定年退職した上司に会いに名古屋へいってくる

手みやげの和菓子を買いにきたんだ
この店は有名だからな
ドン

おっと
もう
新幹線の
時間だ!

部長
忘れ
物です
あ!
みやげを
忘れちゃ
いかん!

あいさつに
きただけ
みたいだね
ふう…
驚い
た!

あ!!
これは
…!!

部長は
どうした
!?
もう
いき
ました
けど…

わしの
荷物を
まちがえて
もって
いったぞ
!
え!?

あの中には
エロ写真が
ギッシリ
入ってる
んだ!!
ドヴォオオオ
早く
部長を
追いかけろ
!!
ガロロロ

まもなく
ひかり707号
博多行きが
発車いたします
今度の発車は
ひかり 12:00 博多
北千住 綾瀬 亀有 金町

きっと
この和菓子
よろこぶ
だろうな

どけ
どけっ
ドン
ひかり
707号は
どこだ!

しまった!!
もう出発
しちまっ
た!!!
ダッ

中川
車で
次の駅へ
先まわりだ!!
名古屋
まで
直行
ですよ!
今のは!

駅に上司が
むかえに
きてると
いってたから
そこでわたせば
もうアウト…
う〜〜む!
2時間で
すべては
パアか!

あの写真が
外部に
もれたら
おしまいだ
ちくしょう!
200キロで走る
新幹線に
追いつく
乗物は…

ジェット
ヘリ
ですね!

そうか!
すぐ
ヘリを
よべ!!

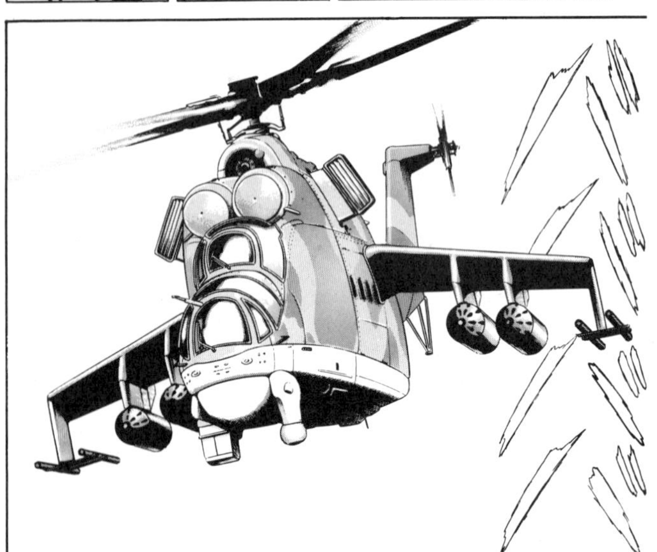

大ばかやろう!!!
軍用の巨大ヘリで追跡する気か!目立つだろっ!!
ジェットヘリは全部使用中で30分以内にこられるのはこの機しかないんです!
会社で輸入したばかりでちょうど近くを飛行してたから…
せめて武装解除させろよ!うち落とされても知らんぞ!
じゃああのまま名古屋にいかれてもいいんですか
それはまずいうーむ…まぁいいか!
ババババ
あれがひかり707号車か!?
新幹線が見えました
なにっ
もっと近づけ!!

ドドドイイイ

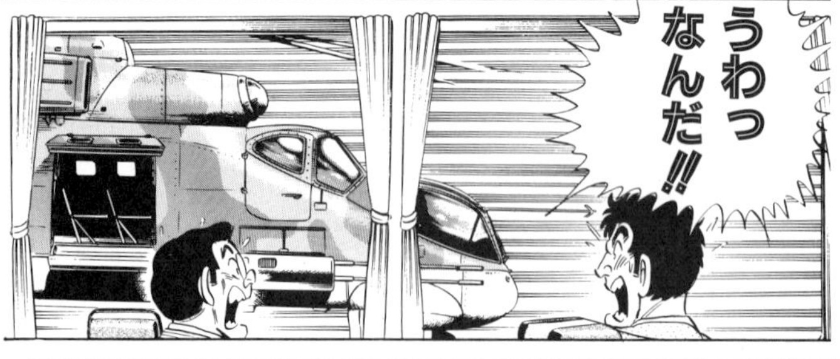
うわっ
なんだ!!

いた!
部長を
発見!!

イイン
ヘリがこんなに近く‼
ビイイー
あぶない前方にトンネルだ‼

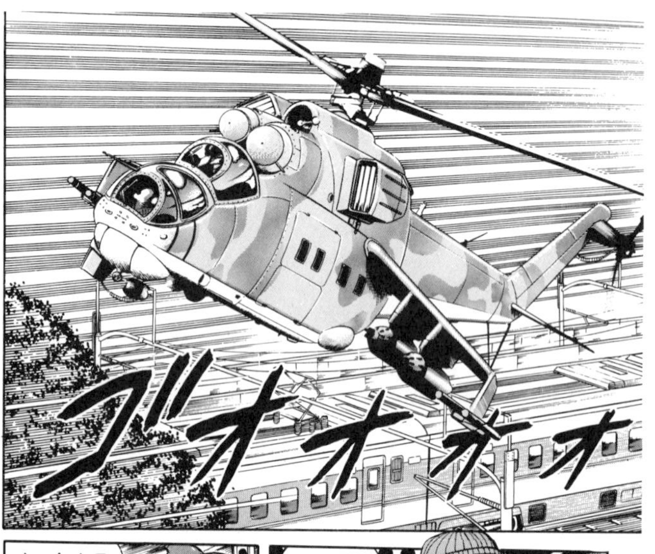
ゴオオオオ

ようし
いって
くるぞ!
この場所は
まだ
トンネルが
多いですよ

早く
しないと
名古屋に
ついちまう
からな!

パイロットと
打ち合わせ
してくる

右の翼から飛びうつるから地上15メートルまで高度を下げろ!
高架線に充分注意してください

カン
カン
うわっ

よし!いけ!!!
40m
30m
20m

15m!!トンネルが!!!
限界だ!!!
ゴォォォ
グッ

ゴオオオオ
どうだ!? 成功か!?
飛びうつったようです!!
ガァァァァァ
すごい音だっ!!
やかましい!
早いところ中に入ろう!
キキキキ
パカ

ふう…！
なんとか
乗りこめた
な！
スタッ

やってる
ことは
007並み
だぞ
しかし
エロ写真を
とり返すという
任務が
情けない！

いた
いた！
うまい
ぐあいに
ねてるぞ！

あった
あれだ
！

今の
うちに
すり変え
だ！

へーく
しょん
!!

ついねてしまったな
サッ

あぶないところだった!
ドキドキ
顔を見られたら水のアワだ!

さて…トイレにいくか

よしっチャンス!!

そうだ
クルッ
あたた!

手みやげも念のためもっていこう

どうもタイミングがまずいな!
このさい接近戦でいくか!

あの〜
・・そめません

となりの
席
あいてる
あるか？
ええ
どうぞ

わたち・
日系10世の
ミスター
加藤あるよ
どーぞ・
よろちくね
ははは…
ドン

どこかで
会って
ませんか
!?
はじめて
あるよ！
ほんと！

あっ　わたち・
急に用事
思いだした
!
実は
いそいで
るのね！

それじゃ
バイ…

お客さん
乗車券を
拝見させて
もらえますか？
え!?
乗車券
!?
乗車券って
キップのこと
かな？
ひょっとして？

わたちの友人にあずけたよ!
たしかむこうに……

ダ
ダ
あっこら!

あぶなくばれるところだった!!
さっさとヘリにもどろう!

お──いここだ!

もうすぐ街にでてしまうぞ早く救出しないと!
新幹線は今 最高速度で巡行中だ危険だな!

よしスピードを落とさせよう
奥の手を使うのか!

あっこら!
まさか!?

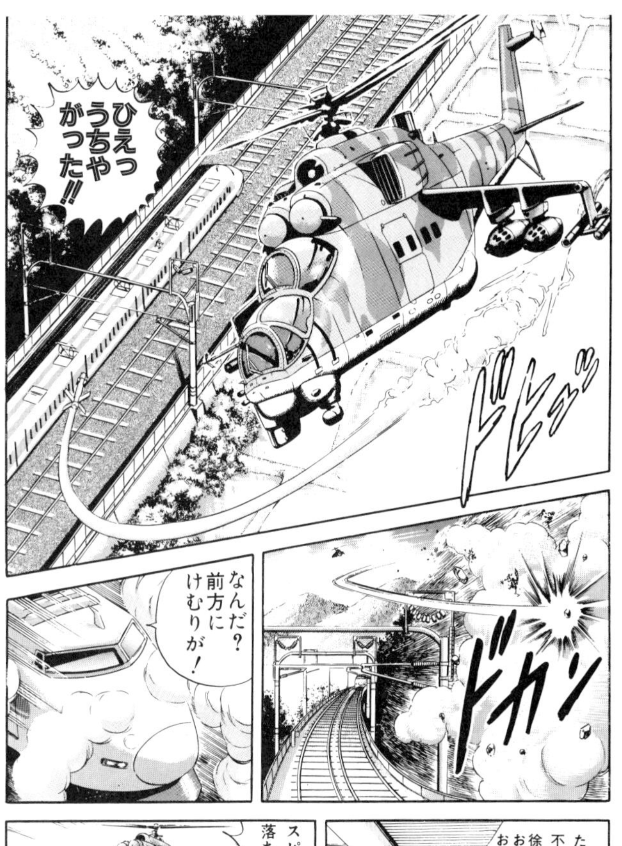
ひえっ
うちや
がった!!
ドヒュッ
ドカン
なんだ?
前方に
けむりが!

ただ今 視界
不良のため
徐行運転を
おこなって
おります
スピードが
落ちたぞ
なるほど
な!

ついにエロ写真をとりもどしたぞ!!
わしの大切な写真を他人に見られてたまるか!
うわ
ズルッ
おっと
ガッ
まだ安心するのは早かった!
なんたって宙づりなんだからな
あら!
ちょっとうそだろ!!
ズッ
ズズ
ぎゃあ!!
ぎょえええわしの写真があぁ!!
うおおおおお

紙が空からふってきたぞ!
何かの宣伝かしら
ワー
オー
オー

平成元年
上空に、おげれつ写真
住民一時大パニック!!
教育委員会激怒!!
とんでもない騒動だな!

典型的な愉快犯だ!! 犯人は新聞にのるのがおもしろくてこんな行為をしてるんだぞ!
どうしようもないバカだ!
ぼくはおもしろくてやったんじゃないと思いますけど…
広辞
葛飾区

★週刊少年ジャンプ1989年36号

ザ・人形道大鑑！の巻
消防庁
治より
110番

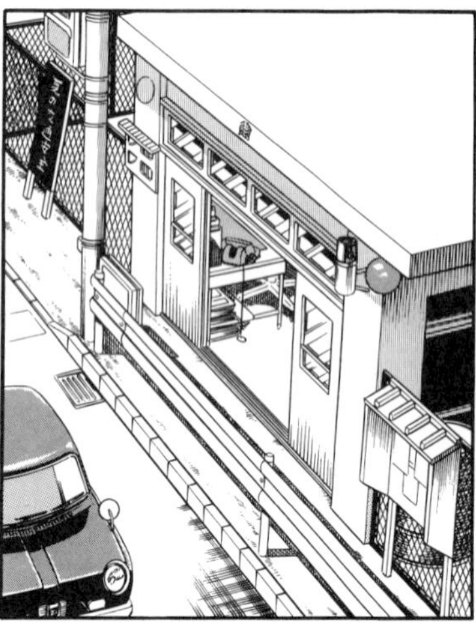

これがリカちゃんのパパ？

ずいぶん若いパパねボーイフレンドみたい！
なん体か試作を作ってリサーチした結果この顔がえらばれたらしい！

以前 両さんが想像してたパパとは大ちがいだな!
これが幻のリカちゃんのパパです
まったくだ!

原作ともちがうぞ! とても音楽家で「ピエール」なんて名前とは思えんよ!

しかし このパパ人形は貴重だぞ
なぜ?
今までのファミリー人形でパパが発売されるなんてのは前代未聞だぞ
サザエさんの人形も カツオとワカメとタラちゃんは発売されたが波平人形は発売されなかった!

しかし本当にパパを発売するとは思わなかったよ
リカちゃん人形を集めてたどっかの先生のコメントをきいてみたい
売れますかね?

人形マニアはぜったいに買うはずだ売れるよ!
しかしおしい!もっといい売り方があったのに…

ふたごのパパとしてセットで発売すれば倍売れる!
「ツインパパ ピエール&ポエール」

ゴレンジャー方式だよ メンバーを全部集めたくなるそれが心理だ!
売り上げ向上には 実はリカちゃんは六つ子だったとかな!

みんなでリカちゃん集めてね!
私たちリカちゃんシスターズ♪

そういえばパパがくわわってリカちゃんの家は8人の大家族ですね!
以前いたリカのおねえさんが行方不明になってしまったがな…
しかし別な人形ふやすのは金型が大変だよ おそ松君人形なんて楽だぞ!金型ひとつでいいんだから!
リカちゃんを六つ子にすりゃいっきに13人家族でダイナミックだぞ!
リカちゃんファミリー
ママ
リカ
ふたごの赤ちゃん

パパの全身可動バージョンがでるといいのにね
さすがGージョーマニア

こないだ
千葉でG−ジョーを発掘したんだ
ほう
どれどれ
ガサ
ガサ
ガサ

タカラのニュー
G−ジョーなんだけどね
ドイツ軍モデルか!

ドイツ兵のが
人気なくて売れのこったせいか
わりと発掘されるな!
ほとんど
新品の状態だろ

そういえば
いまだにG−ジョーに
関する手紙が多いですね
そうなんだ

「G−ジョーと
コンバットジョーはどうちがう?」とか
「アクションマンとG−ジョーのちがいは?」とか
うるさくてたまらん!
今の
子どもたちにはわかりにくいですからね

わかりやすく
G−ジョーの表を次のページで
書いたから読んで勉強するように!
手紙は
もう書くんじゃないぞ!

(※) GIジョー、コンバットジョーについてはコミックス38巻「人形道入門」にかかれてます。参照されると、もっと深く理解できます。

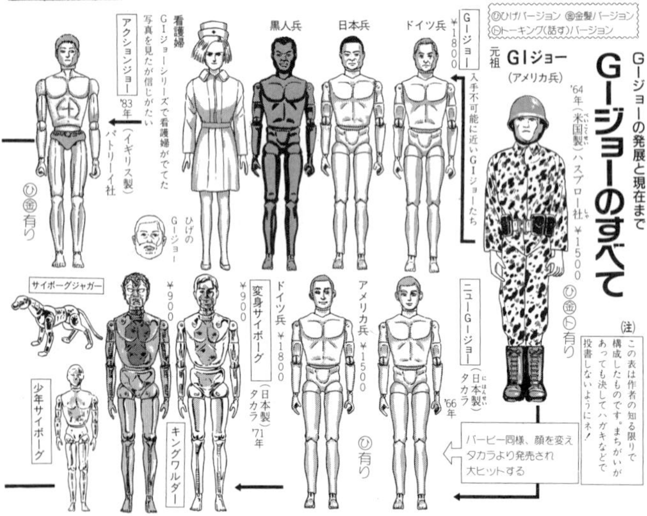

Gジョーのすべて

Gジョーの発展と現在まで

㋪ひげバージョン ㊎金髪バージョン ㋣トーキング(話す)バージョン

元祖 GIジョー (アメリカ兵)
'64年(米国製)ハスブロー社 ¥1500
㋪㊎㋣有り

(注) この表は作者の知る限りで構成したものです。まちがいがあっても決してハガキなどで投書しないようにネ！

GIジョー ¥1800
ドイツ兵
日本兵
黒人兵
入手不可能に近いGIジョーたち

看護婦
GIジョーシリーズで看護婦がでてた写真を見たが信じがたい

ひげのGIジョー

アクションジョー
'83年(イギリス製)パトリーイ社
㋪㊎有り

ニューGIジョー
'66年(日本製)タカラ
アメリカ兵 ¥1500
ドイツ兵 ¥1800
㋪有り

バービー同様、顔を変えタカラより発売され大ヒットする

変身サイボーグ ¥900
'71年(日本製)タカラ

キングワルダー ¥900

サイボーグジャガー

少年サイボーグ

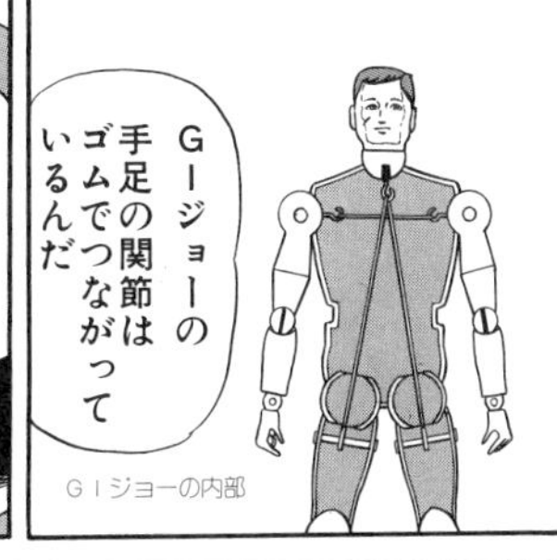

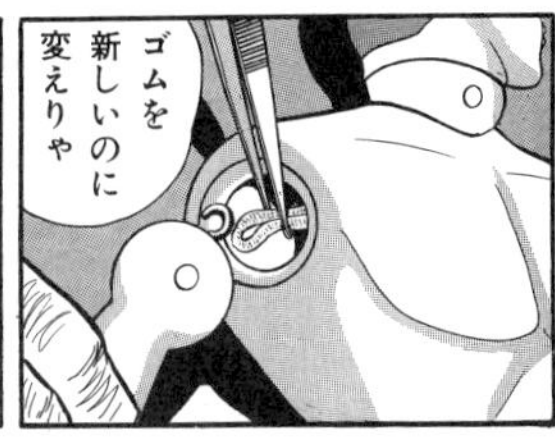

下記の人形は現在売られていません。

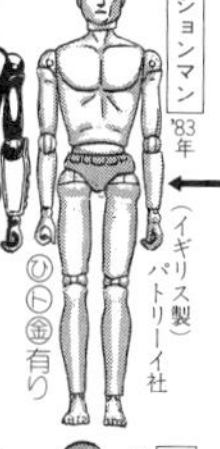
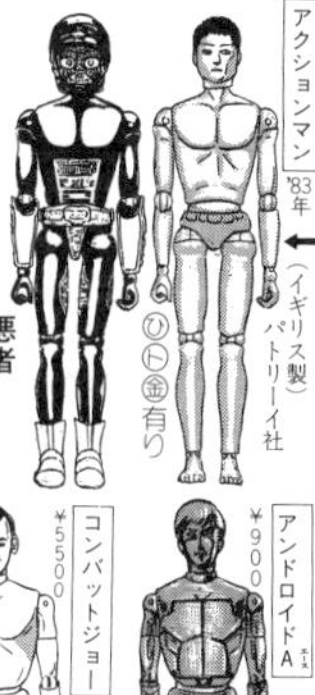

アクションマン '83年 (イギリス製) パトリーイ社

悪者

ひト金有り

Gージョー(ミニ) ¥680 全長10cm (米国製) ハスブロー社 '86年

(注) このバージョンは、まだまだたくさんあってとても描ききれない。車両もたくさんあった。

一般にGージョーとよぶのはハスブローの旧Gージョー、それとタカラのニューGージョー。変身サイボーグやミニGージョーも一応家族として仲間に入れた。

アンドロイドA ¥900 (日本製) タカラ '71年

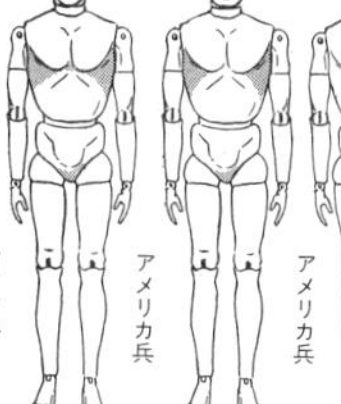

コンバットジョー ¥5500 (日本製) タカラ '84年

GIジョーの再来として'84年に発売された。軍用バージョンばかりでなく、HPやSWAT、はてはゴジラのぬいぐるみバージョンまで作られた。

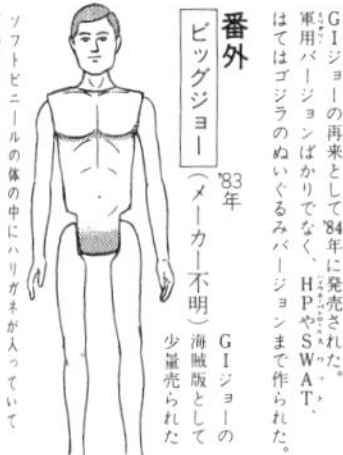

番外 ビッグジョー '83年 (メーカー不明) GIジョーの海賊版として少量売られた

ソフトビニールの体の中にハリガネが入っていて可動されるという粗悪品。

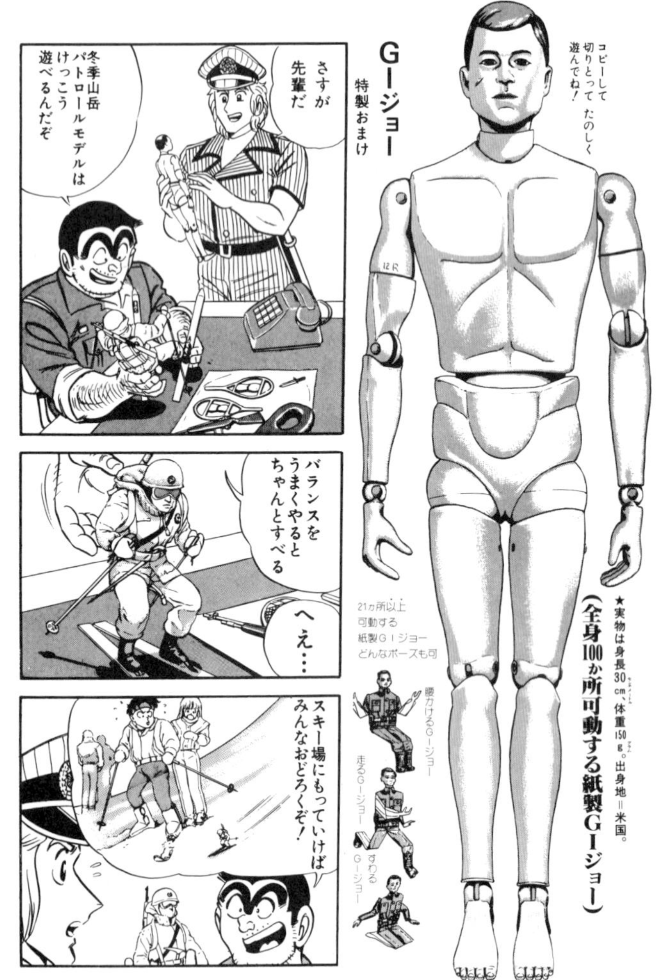
Gージョー
特製おまけ
コピーして
切りとって たのしく
遊んでね!
★実物は身長30cm、体重150g。出身地＝米国。
(全身100か所可動する紙製GIジョー)
21ヵ所以上
可動する
紙製GIジョー
どんなポーズも可
腰かけるGージョー
走るGージョー
すわる
Gージョー
さすが
先輩だ
冬季山岳
パトロールモデルは
けっこう
遊べるんだぞ
バランスを
うまくやると
ちゃんとすべる
へえ…
スキー場にもっていけば
みんなおどろくぞ!

Gージョー
コスチューム
セット
M16アサルトライフル
セロテープで本体にピタリと止めると
動きがスムーズになります
このパラ
シュートも
なかなかの
すぐれもの
ですよ
ちゃんと装備
できて
実物どおり
ひらくんですよ
このパラシュート部隊を
セスナから地上に
ばらまくのが夢なんです
一体
なん万円もする
Gージョーを
ばらまくとは
すごいな

変わりだねとしてはこれだな
あっ
ニュー
GIジョー
水中スク
タカラ

水中モーターで遊べるぞこれは!
足ヒレの方向で左右に進む
007のサンダーボール作戦みたいですね

ラジコンのモーターボートにつければ水上スキーヤーにもなる
水につけると金属部がさびるのでよくふいて油をひくこと。
アクアラングマン潜水夫などサマーアイテムとしてはバツグンだ!
旧G.I.ジョー用アクションマンシリーズで再販された。

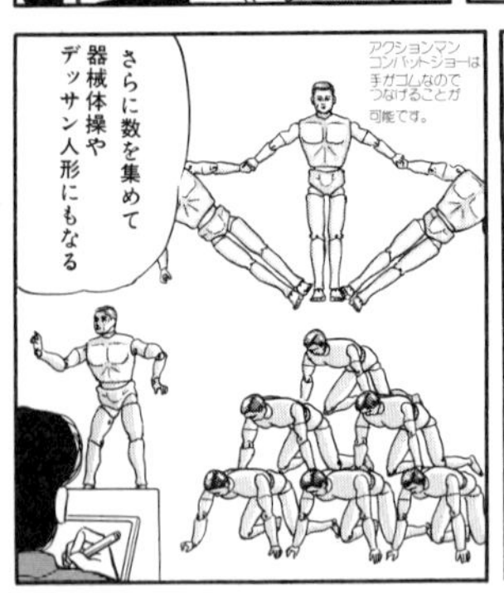
アクションマンコンバットジョーは手がゴムなのでつなげることが可能です。
さらに数を集めて器械体操やデッサン人形にもなる

うでにまきつければ・だ・っ・こ・ソ・ル・ジャー・にもなるぞ
こういうおもちゃなら子どもたちもほしがりますね

そうとも!こんなたのしいGージョーを知らぬ世代は実にかわいそうと
5年前にメーカーが「コンバットジョー」という同じ人形を発売したんだ!

ところがこけた
ヤングアダルトとこち亀の読者が少し買っただけ！

一年ぐらいで生産中止になってしまった！実にくやしい！
ところが製造中止で消えるとだな……

ほしがる読者がでてくるんだ！
なめてんのか！

メーカーだって遊びで作ってんじゃないんだぞ!! やっと作ってくれたのに！
売ってる時は買わないでなくなるとほしがる！

ハスブローのG－ジョーはほとんど入手不可能だからよけいほしがってこまるんだ！
ニセ者まででまわってるからな！
ニセ物!?

コンバットジョーやニューG－ジョーの体に顔だけ本物のG－ジョーをかたどってくっつける方法だ
これで服を着せると顔しか見えないから本物と思う！

見分ける方法は右手だ 本物は銃をにぎる手になっている
それ以外はすべてニセ物と見るべきだ
なるほど
本物
旧G.I.ジョー
ニューG-ジョー
変身サイボーグ
アクションマン

人形にさわらしてもらえればおしりをめくってみる!
本物はちゃんとこのように刻印がしてある
GIJOE
COPYRIGHT 1964
BY HASBRO ®
PATENT PENDING
MADE IN U.S.A

・・・人形道も奥が深いですね
服なども本物を着てるかチェックが必要だ これもなかなかむずかしい!

現在 G-ジョーの後継者もあるぞ 可動部の多いロボットフィギュアーだ! これをベースにジョーが作れる
つま先まで可動するすぐれもの
全長20cm

ロボット風なのでこれを人間の体にけずりだしてだな

はだ色にちゃんと着色してだな

サイズがGージョーより10センチ低いから服の交換性がない！
したがってリカちゃんの女物の服を改造して戦闘服にすれば

ビシ
見事かんたんに新(ニュー)Gージョーに変身する
ほとんど原形がないですよ！

両さんそろそろいこうか！
そうか！

人形マニアにGージョーの鑑定をたのまれてな
ちょっとでかけてくる！

いつか顔や指も動く全身可動人形(フルアクションフィギュアー)のGージョーが発売されるのをたのしみにしてるよ

先輩ならそういうの作れると思うのになぁ
あたしもそう思うわ

このおもちゃ屋見てみろ
高岩堂
コラコーラ
ファミコンアリ〼
えっ!?

変身サイボーグのコスチュームがあるぞ

Gジョーがねむってる気がするな
まさか!都内はもうムリだよ

見てみろ!ニューGジョーの野球ユニホームセットもまだ売ってる
あっ
本当だ!
その手の業者が入ってない証拠だな
ちょっと発掘してみるか

けっこう古いおもちゃがおいてあるぞ
このクラス・・・ならよくあるよ両さん

お前は下さがせ！わしは上のタナを見る
わかった

プラモばかりだだめだよ両さん！
う――む

あれは！
ベーごま

あっ!!あの箱はひょっとして!?
しらべてみよう

どうだい両さん？
見つかったかい？

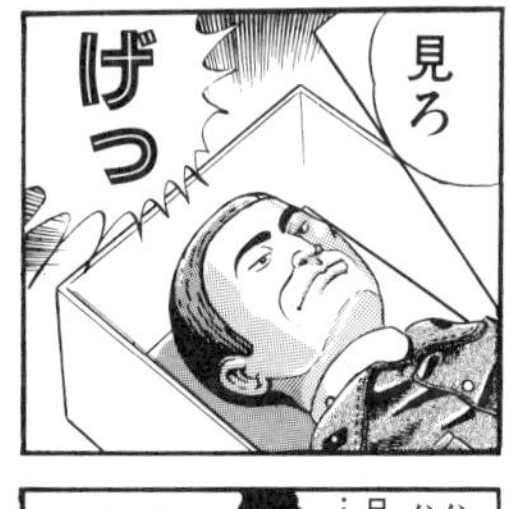
見ろ
げっ

これはすごく貴重だぞ！
ハハスブローの日本兵が……
ガタガタ

あんたら何やってんだい？
なんでもない！

いいか落ちつけわしが買ってくる
こ こんな物が…あるとは…

ばーさんこれ！もらおうか
こんな古いのよく見つけたね

これGージョーじゃないかい？
え!?
ドキ

テレビでやってた一体なん万円もするってやつじゃないかい
と とんでもないちがうよ！

これはリカちゃんのボーイフレンドの「ミスター加藤」だよな！
そうだよ！ぜんぜんGージョーとちがうよ！

じゃあ1,500円ね！
やった！

すげ――っ
日本兵があの店にひそんでいたとはな!
さすが両さん!野性の勘だ

メモしておこう都内で発見…と
おそらく最後の日本兵だぞ

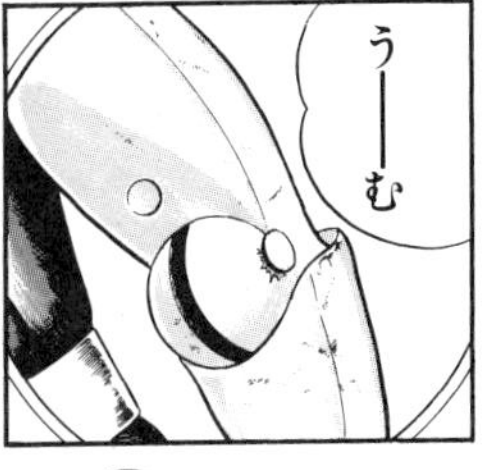
う――む

5体ともすべて本物です

私の鑑定書をつけときましょう一枚500円です
いやぁよかったこれで安心しました!
数がけっこうありますね

兄のコレクションのほうがすごいですよ見ますか!
ほうぜひ!
あにだよ

兄弟でGージョーマニアとはめずらしい
兄は美少女コレクターですが

美…少女…
ピク

もしかしてバービー派ジェニー派本家のバービー派のどれにも属さないのでは…
はい!
あにだよ~

お兄さんはアニメ好きでめがねかけて色白でふとっていませんか?
はい!

また今度きますから今日はこれで
えんりょすることないですよ
GIJOE

両さんひょっとして例の3D……
うーむ…どうもその予感がする
ポリポリ

いや あの…
お兄さんとは
人形の世界が
ちょっと
ちがうので…
グイ
グイ
兄さん コレ
クション
見せて
あげてよ！

これは
これは
お客さん
だ！
ぞ～～～

うわ

私の作品を
理解して
くれるとは
うれしいです
ぼくらは
仲間ですね
わしらとは
・・・
方向性がちがう
んだって！
うおお～～～っ
気持ち悪い
～～～～っ!!

★週刊少年ジャンプ1989年31号

麻里愛のとんでも父さん登場！の巻

パトロールしてたらいきなり6人に襲われたんだ
そんなバカな!

わしのこと岩鉄岩男という男と勘違いしてたらしい…
えっ

父の門下生ですきっと私を捜しにきたんですわ
えっマリアを!

実はキックボクシングをやめてからすぐ家を出てしまったのです
武道家の父は私を後継者にする予定でしたから

父親はマリアが女になったの知ってるのか?
知らないと思います

お父様おどろくでしょうね…
ショックで入院するかも知れんぞ

いた!この派出所だ!!
もう逃がさんぞ総帥に連絡をとったからな!
あっさっきの!

岩鉄!! 警官に化けてもその顔はごまかせないぞ
人違いだといってるだろ!

おおきた!
総帥がこられた!!

スパーン
スパーン
スパーン
キイ

父の車です
武道家のお父さんとはいったい!?
いきなり笑いをとりにきたか!

チカッ

ゴクリ

カシャッ
私が武道家麻里晩だ!!
HOW TO OPERA

後ろからいきなり登場するな!!
あのオート三輪はなんなんだ!?

あれは単なる一発ギャグだ
タッ
つまらんことしやがって!

岩鉄!!
息子の愛をどこへやった!
わしは岩鉄じゃない!!

むっ
ドキ

あっ見つかった!
隠れるヒマなくきたからね

つか
つか
つか

婦警さん!今日なん時まで勤務かね!?
え!?

代官山にいきつけのフランス料理店があるんだ!
よかったら今夜一緒に食事しない?

ペラ
ペラ
BMW750をもってるんだ。
アメックスのゴールドカードもある。
自分の息子をくどいてやがる…なんてオヤジだ!
でも親子で食事するのは自然だわ

う――む…
どこかで会った
ことがある
気がする…

以前 六本木で
働いてなかった!?
ん!?
コンパニオンか
何かしてた
でしょ!?
あなた!

総帥!!
岩鉄の方を
先に!
おっと
そうだ
忘れて
いた!!

おい
岩鉄!!
息子は
どこだ!!
岩鉄じゃ
ないと
いってる
だろ!!

あんたの
息子なら
今会った
ばかりだよ
なんだ
と!!

バサッ

女になってしまったのか!?愛!?
はい!お父様
ババッ
オーマイゴッド!!
オーマイスパゲッティ!!
総帥!お気をたしかに!!
なんってことだああああ
私のことは忘れてください
勝手なこというんじゃない!

わしがあみだした翻堕羅拳法を継承するのはお前なんだぞ!
そのため幼いころからコーチをつけあらゆる格闘技を身につけさせ
キックボクシング空手 柔道 レスリングすべてでトップをとるべく修業を積ませたのだ!!
レスリング大会
翻堕羅拳
そしてわしにかわり翻堕羅拳法の総帥となり
翻堕羅拳を全国に広めるのだ!
植木流
翻羅拳法
翻堕羅拳
愛

その計画の第一段階のキックボクサーのチャンプになった所で 岩鉄コーチと家を飛び出したばかりでなく…
女にまでなってしまったとは…
ぷる
オーマイゴッド!!
ガシャ!!
お父さんそうとうショックだったようですね
そりゃそうだ! なんのために体を鍛えさせたのかわからないからな!
総帥!!
愛!
道場にもどるんだ!!
いや!

麻里家の血をひくのはお前しかいないのだ！
妹の凜がいます！

あいつは女だろうが！帰るんだ!!
いやーん

近くで見るとお前色っぽいな！

この変態じじい!!
両様!!

帰りたくないってんだから！ほっとけよ！
なに!!この！岩鉄・・・もどきが!!

両様たすけて！
完全に女になりおって…
サッ

しかたない!!
拳法を使ってでも愛を連れもどす!
翻堕羅拳
両様!! 父の拳法は…
心配いらん 絶対にわたさん!!
翻堕羅拳奥義!!
あ

唾の舞!!
うわっきたね!
こいつめ!こいつめ!!こいつめ!!!
あいてて!!
見たか!唾の舞を!!
あまりにはずかしくて私も継ぐのがいやなんです
マリアの気持ちがわかるよ!
まるで子どものケンカだ!
なんてことをいうんだ愛!!
うすうす気づいていることをいうとは!!
第二の拳をくらえ!

翻堕羅拳
耳ひっぱり!!
いてててて!
グイ
よせ!
バカ!!
おっはずしたな!
金ちゃん蹴り!!
ぐっ
両様!!
いて〜〜
じじ…
反則技ばかり使いやがって…
父とはいえ今の行為は許せません!
何っくるか!!
チャッ

すごい!
おやじも本気出すと強いぞ!

勝負だ
愛!!
お前ら
やめろ
!
派出所が
こわれる
!!
ぐわっ
あいててて
…!
邪魔だ
どけ!
あ!?

なんてことするのお父様!!
勝負の邪魔をするからだ!
両様に……こんなことするなんて!
ド
ガ
こら!こら!
邪魔だといっとるだろ!
ガ
外へ出てろ!
お前が愛さんをそそのかしたんだな!
とんでもないやつだ!
ドカ
ドス
ドカ
ドス
いい加減にしろお前ら!
うわっ

おおっ
秘技 翻堕羅拳「砂かけばあさん」を!!
おぬし!どこでその秘密の拳を学んだ??
下町のガキはみんな知ってらァ!!
ガリ
ガリ
オーマイゴッド!!
完全に頭にきたぞっ!
全員ぶっとばす!!
御用

ひゃあ
バキ
先輩が ああなったら もう だれにも 止められない 外へ逃げよう!

愛!!お前は 派出所に いてもいい!

もう 強制はせん!! お前の自由に 生きなさい
ありがとう お父様!!

よかったわね
マリアちゃん
いやぁ
おだやかに
話がすんで
よかった!

その
かわりに
……
君に
翻堕羅拳法を
継承してもらう
ことにする!
なに!?

まてよ!!
わしは
そんなの継承
する気は
ないぞ!!
あの強さと
自然に身についた
翻堕羅拳法の数々!
君は今日から
麻里勘吉だ!
伊集院の

★週刊少年ジャンプ1989年51号

ザ・グレイトレースの巻

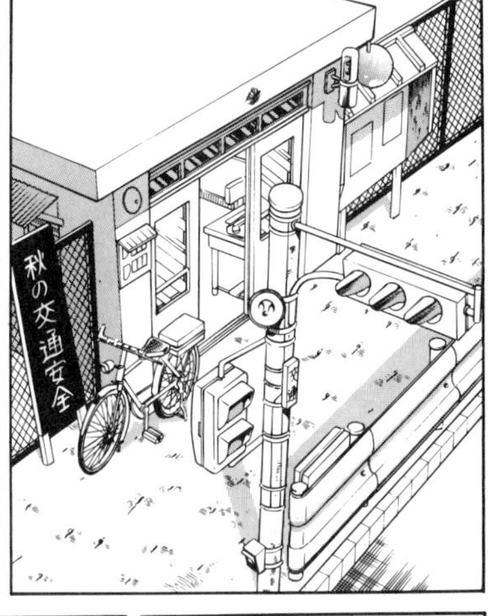
秋の交通安全

クラシックカーレースのナビゲーターだと!?
先輩は地図を見るのが得意だからぜひ!
クラッシックカー
グレートレース

金持ちの道楽につき合うほどヒマじゃない
残念だな!

優勝したら賞金は全部あげようと思ってたんですけど
ピクッ

いくらだねその賞金は!?
100万円ですが…

君は運がいい!ちょうどレースに出場したいなぁと思っていたところだ!
それはよかった!じゃあOKですね
犯罪白書

ザ・グレイト
レースの巻

賞金があるとわかったら態度がコロッと変わるわね！
何をいうか!!

レースはスポーツで純粋なものだ！
下劣なことをいっちゃいかんぞ！

レースは戦いだ！男の血が騒ぎ出場したくなる！これは当然だろ！
お前にはカーレースに賭ける男の・・・ロマンというのがわからんのか!!

なあ 中川
男の世界は
男にしか
理解できん
よな!
え
ええ
まあ…

具体的に
もう一度
賞金の話を
…
競馬も
プラモも
ファミコンも
みんな・・・
男のロマンに
しちゃうん
だから…

グレイトレース
いよいよ後半に
入ってきました!!
ブロロロ
ブオオオ

出場車
100台中 現在
わずか39台！
まさに過酷な
レースになって
きました！
PB 1205
55
ES 391
ドヴォン

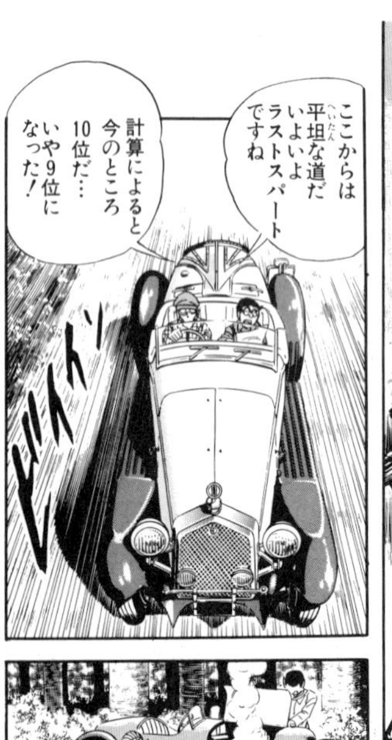
ここからは
平坦な道だ
いよいよ
ラストスパート
ですね
計算によると
今のところ
10位だ…
いや9位に
なった！
ビィィン

上位での
リタイアが
目立って
きたな！

どんどん
順位が
上がって
くるぞ
トップは
それだけ
過酷な走りを
してます
からね

キキッ
ガロン
ぐっ

なんでいきなり止まるんだよ!!
エンジントラブルですよ! ストップしてしまった!

あっ エンジンが焼きついている!!
これはひどい!
シュウ
シュウゥゥ

オイルがもれて冷却できなかったんだ! くそ!
なん度もチェックしたんですけど…もうこれじゃ走れない!
シュウゥゥ

クラシックカーは速さより リタイアとの戦いですからね! それだけトラブルが多いんですよ
出場している車は すべて50年以上昔の車ばかりですからね!

初出場でここまで健闘できればラッキーかも知れませんね
あきらめるのは早い!
エンジンがこわれちゃ動きようがありませんよ

わしが
エンジンに
なってやる!
え!?

なんか
インチキじゃ
ないですか?

ずっとエンジン
ルームに入ってりゃ
気づかんよ!
ゴールしたら
こっそり
抜けだすから

いっとくが
金のために
このようなマネを
してるんじゃ
ないからな!
男として
レースを捨てず
最後まで戦うのが
正しい行動だ!

正しいとは
思えない
けどな…

アルファ
ロメオ
また一台
抜いた!
暑さで
トラブルの続く中
素晴らしい走り
です!
ギャアアアアア

いた！イターラだ!!
あいつを抜かせばベスト3入りだ！
ビイイン
インコースががらあきだいただき!!
ジャカカ
ジャカ
ギャアアア
先輩！ついに3位ですよ!!
がははは！
こっちの新型エンジンはオーバーヒートがないからな!!
ビィィーン
シャカ
シャカ
暑くなってきた！ジュースだ！
あっはい
一位との差は5分です
このペースでいけば追いつけますね！

みんな完走を狙って無理な走りはしてないからな
ゴクゴク
すぐに追いついてやるよ!

ラストのチェックポイントが見えてきました
カチャ
カチャ

あのポイントを越せばゴールです気づかれないように
OK(オーケー)!
キィッ

残りあと3キロです!
もうひといきだよ

あっガソリンは入れないで!!

ぶわっ
なんだ!?
グッ

ゴホ
ゴホ
ゴホ
ん!?

ちょっと
カゼ気味
で・・・!
ゴホ
ゴホ
ゴホ
ちょっと
エンジンを
かけてみて
くれますか

エ・・・
かけるん
ですね!?
これから
エンジンを
かけますよ
エ・ン・ジ・ンを
!
くそ!!
めんどくせぇ
な!

ぶおおおお
ぶるるる
ほら!
普通の
音ですよ

ぶおおお
ばかやろおお
ちくしょうおお
ぶおお
なんだ
?

え!? 何か
変わった
ことでも?
おお
ぶおお
いいかげんにしろ
つかれるぞお
ぶおお
エンジン音に
混じって人の
声がするぞ

エンジンをちょっと見せてくれ
ガラう
がるるるる

があるる
あいた!

どうかしたのか?
ぶおおおお
車が体当たりしてきた!
がるるるるる

そんなばかな!
ぶおおお
エンジンがまるで生きてるぞ

うっエンジンルームがかたいな
グググ
ググ

あいた!

ぎゃあ!!

ぶおおおぉ
がるるる
ぎゃあ助けてくれ～
グオオオ
なんだこいつは!?
ただの車ですよ!!
がるるるぐわっ
ぶおっ
は…ばけ物だあの車は!!!
さっさといってくれ!通行の邪魔になる
じゃお先に!
ガオオオオ

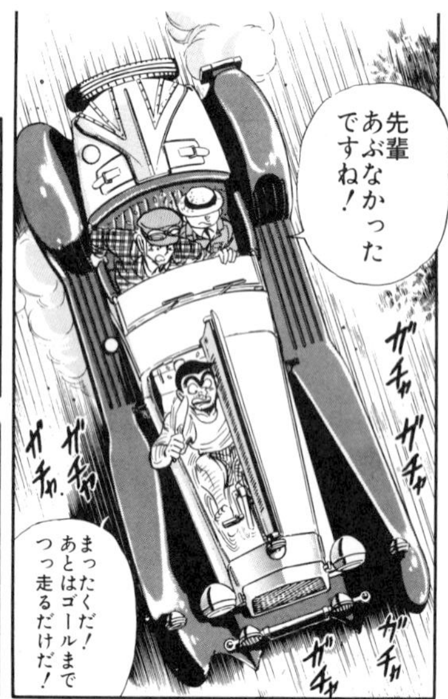
先輩
あぶなかった
ですね！
ガチャ ガチャ
ガチャ ガチャ
まったくだ！
あとはゴールまで
つっ走るだけだ！
ガチャ ガチャ

ラスト
スパートの
ため 体力を
残して
おかんとな

2位の
マーシー
レーサーだ
!!
ようし！
ブロロロ

うおっ
凄い 追い
上げ！
2位の座は
もらったぜ
！
ゴオオオオオ

うっ
!!
ピク

抜か
れた
!!
ゴオオォ

ギャギャギャアアア
あ!?

ゴオオ
森の中へいくぞ!?
どういう走り方だ

先輩どうしたんです!?
ガタタ
ギィイ

ガチャ
ばっ

さっきのガソリンのせいだ!くそ!!
5位に落ちてしまいましたよ!
ゴオオオ
グオン
わかってる!!

ゲリになってしまった!
なんと…
ゴロロロ
ピー

うわっ また追い上げてきた!!
ビィィィィン
ギャッギャギャギャン
すごい速さだ!!
ぐおおおっ…
プップレッ
ブロロロロ
また!おしりが…!!
なんだ!?
ガヤガヤ
キュキュキュ
サワサワ
どうかしたのか?
おおっ薬局だ!!
野原薬局
ビィィィイン
うわっ暴走だ!!
ひえっ
キキィィィ

ドン
ガシャ
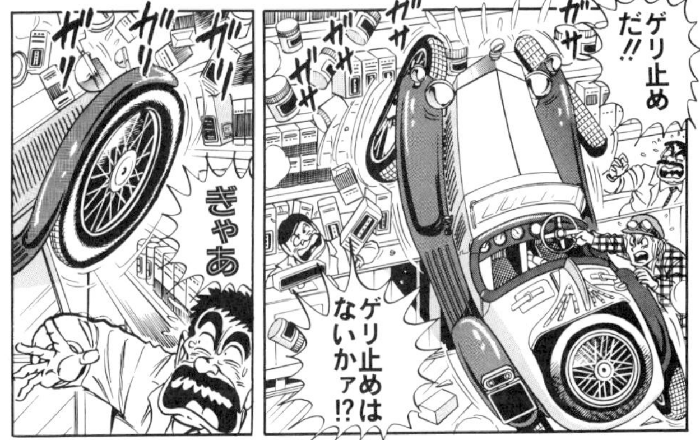
ゲリ止めだ!!
ガサ
ガサ
ガサ
ガサ
ゲリ止めはないかァ!?
ガリ
ガリ
ガリ
ぎゃあ

ポイ

パッ

あった!
ゲリ止メ

ゴおおお
代金と
お店の修理代
ここにおきます！
なな…
なんなんだ
あの車は!?
まるで
ディズニーの車みたいだ…
ゴールまで
あと
200メートル
しかない!!
絶対
トップで
ゴールイン
してやる！

トップは
ブガッティ
です！
2番手は
フィアット！
＝THE GREAT RACE GOAL！＝
グレイトレース ゴール
おおっ
後方より
アルファロメオ
すごい
追い上げです！
ゴゴゴゴ
武田商店

GOAL!
THE GREAT RACE
ドッ
グレイトレース　ゴール!!
ズァ
ギギャ
ギッ
アルファロメオ逆転しました!!
劇的な逆転優勝です!!
ワァ

やっやった…
100万円いただき…
はあ
はあ
はあ

初出場の中川・両津コンビ見事優勝です!!
ワァ

グレイトレース優勝車を一週間 会場に展示させていただきます
はい
ワー
ワー

先輩は逃げ足は早いからな もう逃げてしまっただろ

エンジンが全然熱くなってないな!
さすがに優勝車だ タフなエンジンだな

ぐおおお
エンジンの中で音がきこえないか?
気のせいだろ!

89年度クラシックカーグレイトレース優勝は中川チーム!!
おめでとうございます!!
ワー
ワ
ワ
ぐぉおぉ
何か音がきこえるな…

えっ 先輩が帰ってない

賞金をもらわずに行方不明になるはずはないわよ
するとまさか…車の中…!?
車の中ならすぐわかるだろ!
それが…エンジンルームの中なんです!!
エンジンルームだと!
なぜそんな所に…!?
クラシックカーミュージアム
89年度グレイトレース展示会場

どうやってあの中に入ったのかなあの人?
さあ?
たす…けて…
ここから…だして…
やはりインチキしたら天罰がありますね
優勝車
アルファロメオ
89 クラシックカーグレイトレース
ガヤガヤ
なんだ
あれは

★週刊少年ジャンプ1989年41号

哀愁の星逃田の巻

両様
お茶です
うむ
ごくろう
寿

ギャンブルが
好きなの
ですね!
両様は!
ズズ～
好きというより
生活のためだ
!

マリアさん
先輩のそばに
つきっきりだね
ほんとね
!

ん!?

ニュー
ポルシェだ
亀有公園
キッ

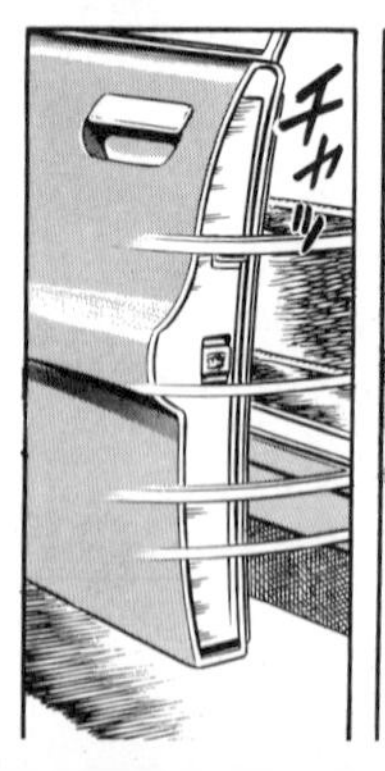
チャ

やあっ
みんな
元気かね！
私の名は
星
逃

田だ!!
しばらくぶりだね

ようかん先輩も食べますか?
ハジの所がいいな!

こら君たち無視するんじゃない!
すごいずっこけ方だ…

目の前で私が!
名のっているというのに
無視することないだろ
だれだっけ?お前は?
忘れるとは何事だ!!
私の名は
星
逃〜〜〜〜〜〜っ

わはははは
両だ!!
思いだしたかね!!
このハジのガリガリした所がおいしいんだ
ここの所ね!

やかましいな!まったく
お前らわざと無視してるだろ!!
あーあ…戸棚がメチャクチャ

★星逃田については、JC17巻を参照してネ!!

とってみろ!
あっだめ

あっ!
ああっ

ハゲだ!!
星がハゲた!!

わははは こりゃ傑作だ!
わははは
笑うな 失敬だぞ!

星のあだ名 星逃田だったろ
はい

新しいあだ名は星はげ田!!
ピ

星はげ田!最高だ!ぴったしだ!!
そんなあだ名はやめろ!
がははは

ごくろうさん 帰って いいよ!
え!?
どういうことだ!?

だって お前の ハゲ頭を 見せにきた だけだろ!
違う そんな 用じゃ ない!

お前がでると 大ゴマを使って もったいない!
そ そんなこと いわれ ても…

わかった じゃ 小さい コマでも いい!
当然だ! 19ページしか ないんだから

私は頭を 見せにきた わけでは ない
そもそも きた 理由は ……

おっ 女性が!

うつく しい…

私 警視庁の 星刑事です はじめまして!
今日は!

星! そんなこと してると コマがなく なるぞ
あっ そうか!

ドタ
あいた!
もったい ないこと を!

つまづいて ひとコマ 使って しまった

そう いってる 間に また コマを…
いかん!

実は 私が きた のは…

ぬっ せまい!
実は 私は
う!

ぶわっ
苦しい!
実は
養毛剤を
かりにきた
のだ
そんなもん
ない!
なに!!

それにしても
見事に
ハゲた
もんだな!
わずか
6か月で
こんなになって
しまったんだ

神経の
使いすぎが
原因ですよ
きっと!
こいつは
態度が
でかいわりに
気は小さい
からな!

生き方を
変えろ!!
もっと
リラックスして
生きた方が
いいぞ
ど
どのように
してだ?

その話し方
その顔
すべてに力が
入りすぎてる!
そう
……
かな

まず
眉間の
しわを
とるんだ!
えっ

グニャ
こうか
?
そうだ
!

顔の筋肉をゆるめてリラックス!
ニカッ
いつも笑顔でスマイル!

体の力も抜いて!そう!
話し方もやわらかくしてみろ

みなさーんコンチワ!
グニャ
星逃田ちゃんだよ~~~ん
グニャ
グニャ

ただのバカまるだしだぞ!
あんたがやらせたんでしょうが!!

今からハゲ防止しても…
あそこまで立派にハゲてはもう手遅れだな

個性的ですてきよ!星さん
本当ですか!

男性のしぶみがでてるわ!貫禄があるわ
そ そうかなははは!
ハ・ゲますという言葉がピッタリだな

ヒゲなど
たくわえたら
もっと
すてきじゃ
ないかしら!
そうかぁ
ヒゲね

かなり
ヒゲが濃いから
すぐ はえるわ
!
紙でヒゲを
作ってみよう

ふーーん
悪くない!
ショーン・
コネリー
みたいだ!

しかし
だれも星と
気づかない
ぞ!
そう
かな?
別人みたい
ですね!

ヒゲの形を
変えよう!
ちょっと
目立ち
ますね
クスクス

じゃ 小さく
ハゲの
チョビヒゲ!
プッ
ははは

人の顔で
遊ぶんじゃ
ない!
失敬
な!!
バーン
わははは
自分の不幸は
いやだけど
他人の不幸は
笑えるな!

やはり
かつらしか
ないいな
マリア
ちょっと
こい

マリアの
髪を
ちょいと
かりて

インス
タント
かつら!
パ

やめろと
いうのに!
おっと
ショート
リコイル

いちいち
モーゼルを
振り回すん
じゃない!
あっ
私の
愛銃を!!

わしはお前のために
かつらを作って
やろうとしてるん
だぞ!
えっ

そのために今
モニターしたんだ
まったく!
今作って
やる!
本当
ですか!

先輩は器用だから安心ですよ
よかったいい人だな!
できたぞ!

ポン
はい!モップのかつら

こっちは真剣なんだぞっ!
モーゼルはよせといっとるだろ!

わからんやつは分解してやる!
あっやめて!

モップはほんのジョークだろまったく!
モーゼルを組み立てるのは大変なのにあーあ!

今度は犬の毛を使用して作った!
そういうのはやめろ!

マリア髪の毛を少しくれるか
えっはい!

自分の髪を提供してくれるなんて……
くく…いい人たちだな…

はいぼっちゃんカット!
スポ
ぷっ

真剣だといってるだろうが!!
だから真剣にやってるだろ!!

この頭をベースにお前の髪にするんだぞ!
本当だろうな

おお!素晴らしい見事だ!
いつもの星さんにもどった

あ本庁から連絡だ!

新宿で応援をもとめてる
よし!

新宿
プァーン
プァー
プァー
逃げ切ってやる！
おっ前に！
こら！道をあけろ!!

ふふふ…
私がきた以上ムダだ！
なに!?
私の名は
星
田だ!!
逃〜〜〜っ

この世に悪がある限り！星逃田は日夜戦い続ける！
このモーゼルが天にかわって成敗してくれる！

あいつだけ時代劇になってるな！
でもさすがにキメますね

くそ！
ズギュッ
うわっ
愚か者！
この私に勝てるはずはない！

★週刊少年ジャンプ1989年46号

す！香港珍道中の巻

トビま

トラベルクイズ夏休み「公務員特集」!
トップはお巡りさんチーム!
ガクウウウ
いよいよラストの問題!
さぁ ほかの人たち逆転はなるか!?
お巡りさんチーム

「お巡りさん」チーム！
「かぜ」だよな
そうだと思います

かぜ!!
正解!!!

優勝は お巡りさんチーム!! 香港3泊4日のペア旅行です!!
ジャ
やった！優勝だ!!
便屋さんチーム
お巡りさんチーム
75

おめでと…
いえーい!!

今うつってるカメラはこれか！

部長!! 見てますか やりました!!!
びたっ
よろこびの表情を送ります!!
やはり出場させるんじゃなかった…

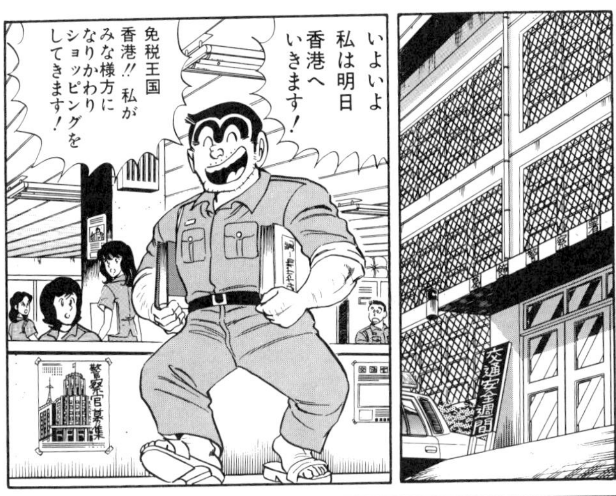

交通安全週間
いよいよ私は明日香港へいきます！
免税王国香港！！私がみな様方になりかわりショッピングをしてきます！
警察官募集

カルティエの品物も買えるの？
もちろん！リストを見る？

品切れなし！私が責任をもって香港中さがしまくるから安心！！
本当！？
Cartier

2割3割あたり前！そのかわり前金でちょうだいね！
私は15番のゴールドリング
私は23番のバッグよろしくね

両津のやつみやげ物で商売してるのか？
手数料をしっかりとってますよ

昨日も
交通課にきて
香水など
注文を
とってたわよ
なんて
やつだ!
こら!
あいた

いつから お前は
輸入業者に
なったんだ!
とんでも
ない!
友人として
おみやげを……

あの…
明日の
打ち
合わせが
あるので
!

いい
タイミングだ
本田のほうの
注文は
どうだ?
お酒が
人気あって
現金20万円に
なっちゃった

そりゃすごい!
わしのほうは
全部で
120万円に
なった!
旅行に
いかずに
もちにげ
しちま
おうか!!
がははは
まさか!

旅行当日
夏の交通安全

えっ
先輩が
いない!?

寮にも
どこにも
いないんです…
どうしましょう!

心あたりに
電話入れて
みます!
無責任な
やつだ
まったく!

なん時の便
なの?
9時発
です!

ギリギリね
パスポートや
航空券は
あるの?
このバッグに
ふたり分
入って
ます

どこへ
いったの
かしら?
旅行当日
なのに…
すっかり
忘れて
るんじゃ
ないのか

えっ!?
お店で
ねてる!?
わかった!
今すぐ
むかえに
いくから!

ゆうべ飲み屋で
ボトル15本あけて
よいつぶれた
らしいですね!
あの
バカ!

ガキャアアアア

ばかやろうっ
なぜ早く
むかえに
こないんだ
!!
だって
知らな
かったん
だもん!

前祝いで
飲み屋へいくと
いったろ!!
あばれ
ないで
ください!
間に合わなく
なりますよ!!

チェックイン
してるヒマは
ない！
ゴオオオオ
直接 15番
スポットの
待合室へ
いけ!!
あっ
香港行きは
あの便だ！
キイイイイン
いそげっ
離陸して
しまうぞ!!
ガオム

キイイイイン
おーい まて! まて!
わしらを 忘れてるぞ!!

ばっ

キイイ
こらっ ストップしろ!
ストップだ!!

飛びうつっちゃった!
すごい執念だ

止まれこら!!
うわっ

ギイ

ぐわ
ギギ
ギギ
ギギ

乗客リストにお客様の名前はありませんが
そんなばかなな

あっ!?
香港グルメの旅スケジュール
3泊4日ペア旅行
出発場所
竹芝桟橋(東京・芝)
出発時間
午前9:00

出発場所が成田じゃなくて竹芝桟橋になってる!
えっ!? なんだって!

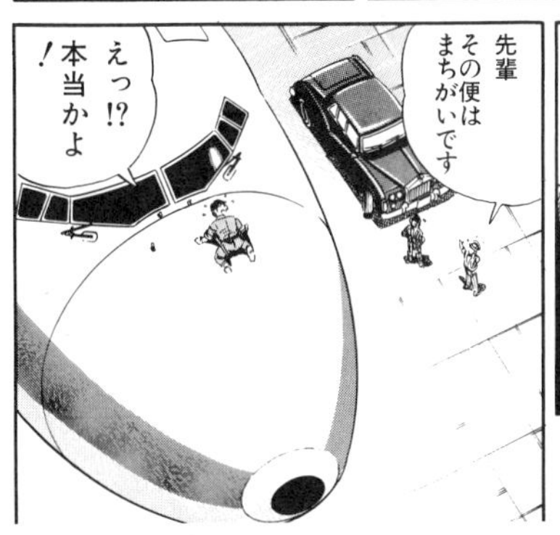
先輩その便はまちがいです
えっ!? 本当かよ!

いや…止めて悪かったね！
もう飛んでいいよ！

なぜ緊急停止したのかをたずねてますが!?
どう…説明したらいいやら…

竹芝桟橋だと!? そんなバカな！
ちゃんと見てください！

伊豆七島にいくんじゃないんだぞ！
竹芝桟橋は船の乗り場ですよね

どこに飛行機があるんだ
こんな所に飛行場などありませんよ

おや!?
香港行き
乗り場
この先 30M

乗り場があるらしいぞ
まさか船でいくのでは…

あっ!飛行艇が!?

搭乗手続きをしますのでパスポートを!
本当に飛ぶんだろうな?

じゃ気をつけていってきてください
無事を祈っててくれ!

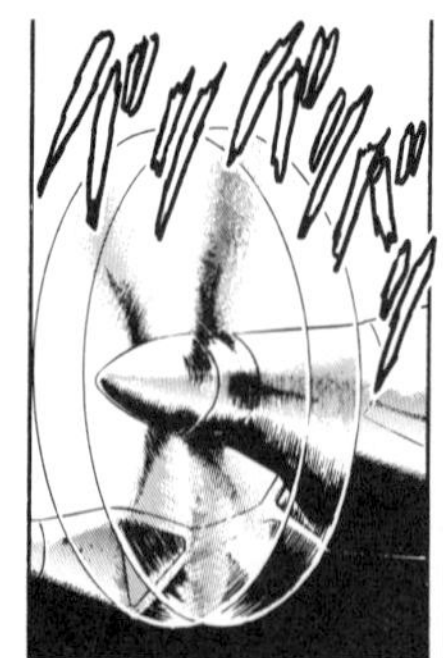
ブロッブロロロ

シートベルトを着用してくださいまもなく離陸します
ちゃんと香港までいけるかな?

バババババババッ

なんとか無事に出発したな
安心しましたよ!

香港までの所要時間は8時間です
倍の時間かかるのかよ

どこが飛行艇なんだ！

ザ゛ザ゛ザ゛ザ゛
さっきからずっと飛び立たないぞ！
水中翼船かこれは！

ガソリン節約のため飛んだり降りたり浮かんだりします
今度は止まってしまったぞ

ゲラ
ザザッ
うわっ

しばらくは海流に乗りますのでシートベルトをおねがいします
それにしてもゆれるな
ユラ
ユラ

ゲラ
ゲラ
ザバーン
ひゃあ

気分が悪くなってきた
飛行機で船酔いするとはひどい
ユラ
ユラ
ゲ
ゲ
ゲ

ゴオーーン

香港が見えてきたぞ！
無事についてよかった!!

ただいま香港国際空港に問い合わせたところこの飛行艇は着陸するなとのことです
まだ無事かどうかわからんぞ！

はい！

九竜カオルン半島の競馬場が広いのでそこに着陸します
えらい飛行機に乗っちまった！
キイィ

キイイイイン
うひゃ

おっとと！車輪がないのを忘れてた！
なんと!?

ギャオオオオ
ぎゃあ!!
当たるぞ!!
ひえええ
ひゃあ
ブオオオオオ
店酒湖西
HOTEL
BLUE LIP BAR
EXPRESS SERVICE
新中
BOB

ザザザ
ズザァア

スターフェリー乗り場につきましたおつかれ様でした!
本田!こいつ気絶しやがった
ガヤ
ガヤ

しっかりしろ!なんだかんだあったがやっとついたぞ

見ろ!香港の街だ!!
先輩は元気ですね!
OGERETSU
KOSAKIN
大秋本酒楼

さっそく街を見物にいこう
あっおいていかないで!

うわ
ドン
いたた…!

あっ先輩がいない

びえええ～
異国の地で迷子になっちゃった～!!
もう帰れないよ～!
ひぃぃぃぃ
うえええん

さっきから何やってるんだいったい
あっいた!

よかった!もう二度と会えないと思った…
ひっく ひっく
ウロウロしてると悪いやつにねらわれるぞしっかりついてこい!

★週刊少年ジャンプ1989年38号

カナダ翻堕羅拳法珍道中の巻（前編）

カナダ翻堕羅拳法珍道中の巻(前編)
SPORTS

たわけ!!
ドン

このままだと全滅だぞ なんて荒れ方だ
10レースが最後の砦だな

両様♡
おっ
非番で遊びにきたか

ちょっと遊びにいきません?
むろんそうはしたいが…
競馬の予想がくるって大変な所だ

いきましょうよ!
グイ
あっ

今日は強引だなマリア!
ぜひ きてほしいの!
TAXI

ヴォオオオォ

―新東京国際空港―
JAB

カナダへいくだと!?
北ウイング
NORTH WING ARRI

わしはお前といくのはイヤだけど支部のためだ
ねっおねがい一緒にいって!
ムチャいうなよパスポートも何もないぞ!

心配ありませんわ全部ここにそろってます
いったいいつの間に……

しかし…勤務中にいきなりいなくなるとやばい…
ん!?

お前らどけどけ!!

タニノホマレ1位です!!
やったぞ!すごい!!

ひさびさの万馬券だ!やったね!!
やったァ
これで負けの分はとり返したぞ!!

さっそく帰って現金にしてこよ
あっ!

両様が一緒じゃないのなら愛もいきませんわ!!
まて愛!!

両津!帰るんじゃない!!
ぐえ

バカヤロ死んじまうだろ!
愛のために一緒にいくんだ!
ゴホゴホ

こっちだって生活がかかってるんだぞ!!
きさま
ダッ

うわっ

HIJOUGUC
きゃあ
うわっ

なんてことしやがるんだくそ!
どうあってもカナダへいってもらう!

手かげんしないぞ！このじじいめ！
ガ〃

むん！
ぎっ
ゴキ

いくぞ愛!!
はい

──カナダ・バンクーバー国際空港──
AMA
TriStar
AMA

きたねえぞくそじじい!!
Restaurant

気絶してる間にこんな所まで連れてきやがって！
はなせ！わしは帰る！

両様そんなに日本に戻りたいの
当たり前だ！この馬券で12万円の現金が手に入るんだぞ!!

じわ

わかったよ！
あきらめたよくそ！

はずれたと思えばいい！つき合うよ！
本当！

よかったさすが両様!!
いてて

思ったより寒いな！ひえるぞ!!
そんな格好できやがって！
当ったり前だカナダだぞ

ペラペラ
えっ

ペラペラ
何かわからんがイエス！イエス

知り合いなの？お父様
外国は初めてだ！だれ一人知らん！
忍者映画の役者だと勘違いされたんじゃないのか？

支部にしたい土地はここなのよ
ずいぶん遠そうだな…

あれ…
ん？

サイフがない！
えっ！

さっきの外人だきっと！
しまった！
TAXI

だめだ もう逃げてしまった！
まあ大変！
空港でキョロキョロしてるから狙われるんだ

まさかパスポートも……
一緒に入っとった！
まあ！

かわいそうに！これで日本に帰れないな……
知らないぞォ

マリア！あのおじさん・・・カナダにおいて二人で帰ろう！
じゃま者がへってよかった

こら!! そんな冗談はよせ!!
だってあんた本当に帰れないんだよ

身元を明かす物がないんだもの飛行機なんて乗れるはずないじゃん！
本当なのよお父様

お前のをよこせ！
サッ
あっこら！

写真が違うからムリだぞ!!
なんの!ヒゲと髪型を同じくすれば…
キュッ
キュッ

見ろ!私になったぞ!
全然違うよ!
KANKI

ムリよお父様
何をいうか!愛!!

愛も写真と全然違うぞ!
審査官がパニックになってたじゃないか!
基本的に本人だろ!マリアの場合
麻里

返せよ パスポートお前なら一人でこの町で生きていけるよ!
いやだ!これを私にくれ!!

うわっ!
下水に!
スポッ

あっ

ゴボゴボ

これで…私たちは仲間だね
むふふふ…
き…きさま！

わざと落としやがったな！
ガッ
そんなことするか！偶然だ!!

現金1,300円しか持ってないんだぞどうすんだよ!!
私など一文なしだぞ!!

キキイ
ビタ
うおっ

バカ！もう少しでひかれる所だぞ！
あぶなかった！

両ちゃん!?
え

まあ！本当に両ちゃんじゃないい！
おおっ麗子!!
盗難届とパスポート申請の手配をしておいたわ
新しいパスポートが届くまで 2週間くらいかかるから それまでこのホテルで ゆっくりすごしてね
遠慮はいらないわ・・うちのホテルだから
すまんなァ 地獄に仏とはこのことだよ！

でも
おどろいたわ
両ちゃん
たちが
カナダに
きてるなんて
！

気づいたら
カナダに
連れて
こられたんだ
翻堕羅の
おっさんが
支部を
作るとか
ぬかしてな！

しかし
麗子がいるとは
思わなかったよ
パパが
バハマに遊びに
いっちゃった
のよ
2年間も！
だから有休を
利用して 私が
系列の企業と
打ち合わせよ！

会議が終わったら
翻堕羅拳支部の
用地を一緒に
探してあげるわ
すみません！
なにしろ外国は
初めてで！

カナダも
日本の人が
多いわよ！
すぐに
なじめるわよ
Excuse me,
Miss.…

会議早く
終わらせるから
ちょっと
まっててね
よろしく
たのむぞ

あの婦警さんがこんな大金持ちだったとは…
私には良き友人がたくさんいるこれもひとえに私の人柄だよ！

えーとバークレイ町の…

おかしいわよこの土地！
町はずれでとても人が住める所じゃないわよ！

500坪で250万円なんてどうも安いと思った…
とにかくこの住所の不動産屋へいってくれ

不動産

いらっしゃいざんす！
はるばる日本からごくろう様

あっ
いつかの
インチキ
不動産屋!
げっ
あの時の
警官!!

ま まさか
あなたが
お客様じゃ
…
その まさか
だよ!
インチキ
だったら
ただじゃ
すまさんぞ

ここが
現地です
変ね
ここは
沼のはずよ
不動産
Keep Out

そ そこに
宅地を
え――と
作りまして…
凍ってる
だけじゃ
ねぇのか?
全面氷だぞ

つまり
とけなければ
土地でして
とけたらば
また沼に…
なんと
インチキ
か!!

きさま海外に
きてまで
インチキ物件を
扱ってるのか!
とんでも
ない!
沼をうめれば
立派に使え
ますよ!
ホント…
沼が好きと
いうお客様も
いますので…

BRIAN'S
ALOON

いつまで落ち込んでるんだよ!おっさん!
お父様!麗子さんが探してくれるといってるのよ!元気出して!
どの道2週間は足留めだ!バカンスと思って遊ばなきゃそんだぞ!
よし!
うわ
あとは麗子殿に託す
そうと決まれば遊ばにゃそん!そん!!

レジャー用品しか
持ってきてない
じゃないか!
翻堕羅拳は
遊びの中に
本スジが
あるのだ

なんだ
その
格好は!

みんなで
スキーすると
いったろが!
スキーなど
40年ぶり
だからな
日本が
ますます
誤解され
そうだな!

★週刊少年ジャンプ1990年９号

カナダ翻堕羅拳法珍道中の巻（後編）

拳法珍道中の巻(後編)
ROSSINOL
ROSSINOL

カナダ翻堕羅(ほんだら)

!?あっ
ザザザザザザ
大ジャンプ!!
ザ
ザ
前方一回転ひねり!!
フィニッシュ!!
ダーン
わしがスキーを教えてやるよ
余計なお世話だまったく
私は麗子殿から…

バカモノ!

私 自ら
指導して
やるというのに
なんて口の
きき方だ!
武道家の
私に挑戦する
気だな!

翻随羅拳を
うけろ!
おっと
スーッ

だめだ…
なんと
スキーの
うまい
やつめ…
自由
自在と
いってくれ

昔は
東京生まれで
スキーの上手な
やつは 金持ち
だけだった
中川など
2歳からカナダで
すべるという
道楽野郎だ!

わしら庶民は
東京に雪がふると
竹で自作した
スキーをはいて
荒川土手で特訓
したものだ
その・・・
のら犬剣法
のような
自己流スキーを
教えてやる

私はマリアちゃんを
指導するわ
お互いマンツーマンの
方が早くおぼえる
から
麗子殿
まで…
そんな!
よし
決まった
!

まず頂上より
直滑降で
1,000メートル
一気にすべる
バカな

バカとはなんだ!!
ガッ
ぐわ

先生にむかって
なんてやつだ
頭をひやせ!!
ザザザ
ザザザ
ぐわあああああ

くそ!
私の技をマネしたな!
いいからさっさとこい!

大丈夫かしら
お父様たち
両ちゃんなら
心配無用よ
冬山には最強
だから!

なに!
リフトに乗れないだと!?
一人じゃこわくて乗れん

じゃ肩車してやるよ
ちゃんとつかまってろよ!
ウイィン
これなら安心だ

ストッ
よいしょっと
あっこら！

お前がすわってどうすんだ！おいっ
ズズズズ
いててて！

ゆらすなよあぶないぞ！
わしが落ちる！どけよ！

こら！のぼるな二人はすわれんぞ!!
だったらお前がおりろ！

うわっ
ガタ
わっ

くそ！
ガ

ぎゃあこわい！ひえ〜っ
首が苦しい手を持て！手を!!

ここからすべるのか⁉
そうだよ!
ほとんど直角だぞ
だから直滑降の練習になるんだよ
まだ曲り方や止まり方も知らんぞ
すべりながら教える
そんな!
さっさといけ!
ドン
げっ
ぎえええええええ

次は斜滑降だこうして!こう!!
ザッ
ザッ
ザッ
ぎえええええ

こうだ!こう!!
ザッ
ザッ
ザッ
よく見ろ!
ぎええええええええ

だめだぞ！人のいうことちゃんときかなきゃ！
何がなんだかわからん！……

雪まみれになってハラがひえた
なさけない武道家だな

木の陰ですましてこいよ！
わかった！

外国でこんなマネするとは…
ペロン

ズ
あっ

あっあっあっ
やばい坂だ
ズズ

おーーいっ止めてくれ!!
なに!?
ズザザザ

ガッ

こら！つかむな!!
止めてくれ！
ザザァ

スキーがのっかっていて止められん！
あっバカ！
ズズッ

ズボンから手を離せ！ぬげるだろ!!
うおおっ！スピードがどんどん出る!!ひええっ！
キャア

上手！上手！マリアちゃんバッチリよ
ザザッ

お父様たちもずいぶんマスターしたかしら？
あら

ザザザザ
ウア！
うおおおっ
ぶつかるぞオ!!
ドドド
お父様たち
だわ…
どこへ
いっても
注目の
的ね！
ザワ
ザワ
ザワ
あさってには
日本に帰れそうよ
チケットもとって
おいたわ！
なんだァ
もっとゆっくり
してたいのに

やけにハンターが目立つな
地元の猟友会の集会よ！このホテルでね！
FT SHOP

このあたりは熊の被害が多いの
なるほどな

それにしてもゆうべはおどろいたな
どうかしたの？

屋上に露天ブロがあるときいてマリアのおやじさんといったんだよ

混浴ブロだやったぜ！カナダまできた甲斐があったぞ!!

KYA〜〜〜〜!!
げっ！水着!?

ヘンタイ!!
あいてて…!
まさか水着で入浴なんて考えられんよな!
まったくだ!
ここはカナダよ!日本と風習が違うのよ!

ごちそうさま!
ごっそさん!
私は明日の夕方日本へ帰るわ
みなさんはゆっくりしてらしてね
カナダにきてること部長には内緒だぞ

突然派出所から消えちゃっておどろいてるんじゃない?
なにくわぬ顔でこっそりもどるよ

翻堕羅拳の支部まで決めてもらって何から何まで申し訳ない
えっ

このホテルのトレーニングルームに道場を出させてもらう むろん支部長は愛とお前だ
なんだって!
ふざけるななんでわしが支部長なんだ!!

あっ
ガ
ギ
ギッ

イエスか
ノーか
どっちだ?
メキ
ミシ
メキ
メキ
ノォォ
ぐぐぐ……
ぐ……
イイエス
です…
イエス!

スキーの時は
弱かったのに…
また強く
なりやがった
…くそ!
大丈夫
ですか?
両様!

マリア
おやじの
弱点を
ウィークポイント
教えろ!
ガ
え!?

この
ままじゃ
カナダに
永住する
ハメになる
はは
はい…

山ごもりで
修業している時
後ろから熊に頭を
かじられたんです
それから父は
熊をすごくこわがる
ようで…
なるほど
もう一回
かまれれば
二度とカナダへ
くるとは
いうまい

この
敷皮が
使えるな
え!?

ちゃんとぬいつけてくれ！
本物だけにリアルだ

ここに隠れてるからオヤジを連れてこい
はい！

思い切りかじってやる
くっくっくっ……

きたな…

がおおお

ゲットアウト!!
チャッ
ひえっ

HUNTING CLUB
CLUB ROOM
そうかハンターが集まってるんだ!やばい!
ぬおっ集会場に!!
まて!
チャキッ
話を聞いてくれ!
ドゴォ
ドガッ
ドガ
ドガ
やめろといってるだろ!
うひょ
私はジャパニーズポリスマンだ!!

おっ麗子!!
たすけろ!!
きゃあ
ドガガ
うひゃっ

全然
敷皮が
とれん!
くそ!!
ドドド
ドガガ
あちこち
ハンター
だらけだ!
このホテル
は!!
えっ
あの熊
両ちゃん
なの!?
私を
はめる気
だったのか
…

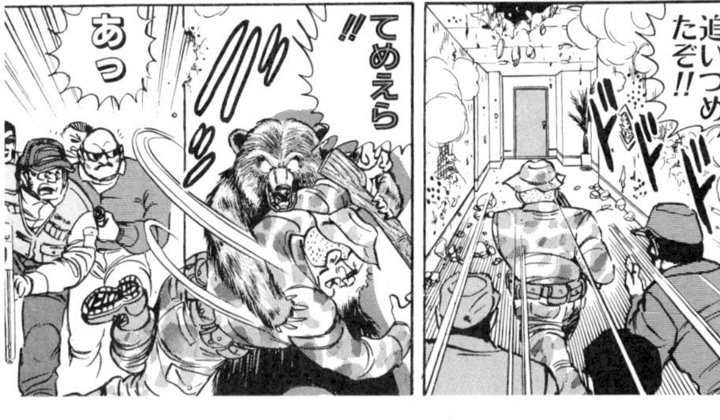
よし!
追いつめ
たぞ!!
ドドドド
てめえら!!
あっ

ふざけやがって!!
ドゴオ
ホテルで熊狩りするんじゃない!!
くそ!弾切れだ!
カシャ
カチャ
ドドガ
ぬわっ
ガシャ
ドス
うわっ
ウア
SHOP
ちょっとかりるぞ!!
ドゥ

くそっ
このまま山に
かくれるしか
ない！
まるで
国定忠治
だぞ！

手配して
熊をすべて
生け捕りに
したのだけど
どれが
両ちゃんか
わからないわ

本物はわしだ！
くそ！ 寒い中
走ったから
声がかれて出ない
みんな
演技力の
ある熊
ばかりね
私にも
わからないわ

★週刊少年ジャンプ1990年10号

マリアとマリリン!?の巻

雷門
ズギュン
ズギューン!

タッ
チュー!ン
ぐわ

はいカット!
さすが凜さん!
最高に決まったね!!
パパパチチ
パチ
やった
「女スパイNO5」シリーズの日本ロケ編!これ シリーズ中最高傑作ね!
楽しみだわ!監督!
凜さんは香港のドル箱スターですからね
ケガをしないよう注意してください

アクション続きでシャワーでもあびたい気分ね！
もう少しがまんしてください
すいませんカメラの調子が悪くて！
一時間ほど待機してください
ラッキー！久しぶりに東京見物してこよう！
その格好でいく気ですか!?

一時間後に必ずもどってきてください！
わかったわマネージャー
TAXI

ここかな…!?

愛いるかな……
愛がいる警察寮って…

マリアちゃんいい所に帰ってきたわ！
えっ!?

今お風呂に入っちゃいなさいよ！
遅くなるとみんなと一緒だからいやでしょう

浴場
だれかと間違われたみたいね

ロケまで一時間もあるし
このさいいただいてしまおう！

そんなに大騒ぎなんですか！

大騒ぎなんて
もんじゃないよ
野犬のむれに
肉を投げた
ようなもんだよ
マリアは
外見女で
中身男だろ
銭湯など
いけんからな！
仕方なく寮のフロへ
入るんだが……
ガラ
うわっ
うおおっ
!!

いい加減に
馴れろよ
お前ら!!
マリアさんは
基本的に
男性なん
でしょう?
当然だ!
しかし 見た目は
女みたいだからな
GSブームのころ
長髪の若者が
町中にいたろ!
銭湯に入ってくると
一瞬 女と間違えて
ドキッとしたことがある!
後ろ姿じゃ
見分けが
つきません
からね
おつかれ
様です!!
うおっ!!
勤務交代の
時間です
いきなり
耳元で
いうな!!
今日の
仕事は
終わりか!

まっすぐ帰るんですか?
マリアがメシ作ってまってるからな
シャー

シャアア
いえい!

マリアが炊事 洗濯すべてやってくれるから楽だな
料理はプロ並みだからな

あれで女だったらもてるだろうに!
実においしい!

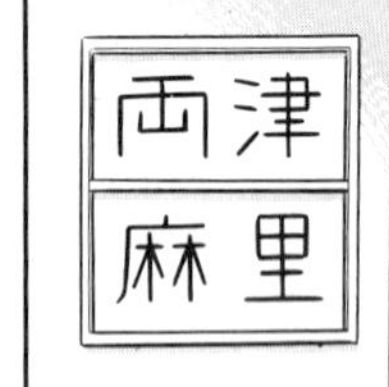
両津
麻里

ありゃ!?
マリアがいないぞ!
マリアちゃんならおフロだよ
なにフロ!?
浴場
本当だ!!
制服がぬいである!
メシの前にわしもひと風呂あびるとしよう!
ザー…
ガラッ
マリアわしも入るぞ!!

うわっ
きゃあ!!

マ マリア
お前…
完全に女になったのか!?
あっちにいって!!
バシャッ
うわっ

H!! バカ! 変態!!
早く出ていって!!
コン
ガーン
あいたたた!
ピシャ
どうなっているんだいったい?
本当に変身しちゃったらしい…

おばさんマリアのことだけど……
両さんもお風呂かい!

同室じゃないか! 一緒に入れば!
一緒にといわれてもう~~むよわった…

え!?
麻里愛の妹だって!!

まったく同じ顔じゃないか!二人とも!
男女の双子なのよ
あたしは妹の麻里 禀!
愛は声はもちろん髪質や仕草まであたしそっくりなの!

愛がこの寮にいると聞いてきたのよ!

きたのはいいが…
その制服はいったいどうしたんだ?

映画のロケで日本にきてるの
婦警さんになりすましてる設定なのよ!
まち時間にちょっと寄ってみたわけ
なんと女優だったのか!

ただいま！
チャッ

あっ
稟!?
愛!?

おどろいた…
あたしに
そっくり
じゃない！
なぜ
こんな所
に!?

二人ならぶと
クローン人間が
いるみたいだ
髪型まで
マネ
しちゃって
もう！
なんで
女に
なっちゃっ
たのよ！
だって…

国際電話で
お父さん
泣いてたわよ！
私が あの
気味悪い
翻堕羅拳の
総帥に
されたら
どうするのよ!!

私だって
あんな
タコおどり
みたいなの
イヤよ!!
稟が
あとを継ぐ
べきよ
兄妹
ゲンカは
よせ！

ひょっとして
あなたが
愛を誘惑
したん
じゃない？
え!?

そういえば岩鉄コーチに
そっくり！あなたが
愛を女にした張本人ね！
わしは
その岩鉄と
いうやつは
知らん！

両様に
乱暴は
やめて!!

あたしの声マネ
しないでよ！
男のしゃべり方
しなさいよ！
ちゃんと！
もう
なおせ
ないわよ
手遅れよ
！

まて
二人とも
！
同じ声で争うん
じゃない！
ゴチャゴチャ
する！

マリアも
落ちつけ！
ちゃんと説明
してやれ！
あたしは稟!!
マリアは
あっちよ！
あっ
そうか
!!

妹とは思えん気の強さだな!
母が神田の生まれでその血を思い切りひいてますから

あっいけない!
もうこんな時間だわ!

どこでロケをしてるんだ?
東京中よ今日は浅草
なに!?浅草!!

あいやーなんと!!
タヤ靴店

本当に稟とうりふたつあるね
でしょ!いったとおりでしょう

はい!仕事仕事!
時間がないからテンポよくいかないと!

ロケーションて楽しそうだな!!

香港では売れっ子スターですからね
仕事終わったら浅草で何かおごってもらおうな!

きゃあ!!
ガラ
ガラ

大丈夫か稟!!
ケガはありませんか!?

少しひねっただけ!大丈夫よ監督
無理しない方がいい今後に影響するとまずい

とてもアクションシーンは無理ですね
よわったなかわりの者がいれば……ん!?

そうか!君だ!!
えっ

セリフはいらん
スタントマンとの
格闘技だけだ！
派手に倒れて
くれるから
心配ないよ
私には
ムリです
！

ポン
愛ちゃん
！

代理をして
くれたら
翻堕羅拳法の
総帥の件
ひきうけても
いいわよ
本当!?
ようし
！

話が
わかるじゃ
ないか！
ウソよ

ああいえば
かんたんに
落とせるもの
したたかさも
すごい…
RIN

うわっ
ヒョイ

素晴らしいアクションだベリーグッド!
本気で投げていますよ監督

愛ちゃんがんばってね!
COFFEE

あとの撮りはアクションシーンばかりだからふきかえしてもらおうかしら
たしかにマリアのは迫力が違う
RIN

えっマリアが映画撮影で香港へ!!
アクションシーンを撮りに一週間ほどいきました

代理で私 妹の麻里凛が一週間勤務します！
ビシッ
よろしくおねがいしまぁす！
全然マリアとかわらん！うりふたつだ！
違いがあるんですよ！

マリリンちゃんお茶をくれる？

いや！
自分で入れれば！
プイ

ねっ！・・・・やさしさが全然違うでしょう！なにしろ大女優ですから…
なるほど男にはきびしそうだ…
ねえねえ香港のペニンスラホテルのお店にね…
うんうん！

★週刊少年ジャンプ1990年１・２合併号

聖なる夜の大天罰！の巻

ギィイ!

缶コーヒーがあったかくなるともう冬だな!
漫画よみながら飲もうっと!
ガチャッ

おっとマリリンだ!!

見つかるとまずい

ゴクゴクゴク

ネクタイ曲がってないかな!
よし!
キュッ

やあ・・・マリリンおはよう
おはようございます
交通安全
犯罪白書
交通区分図

出勤時間遅くなってすみませんね!

ん!?

今私にむかって「おはようございます」といった!?
はい
ひょっとしてあなたはマリア?
そうですわ両様♡

またァ！私をひっかけようとしてるんでしょ！
マリアですわ

本当は・・・マリリンなんでしょ！マリアのふりをしちゃって！
マリリンは香港へ帰りました

じーっ

やっぱ違う！・・マリリンだ兄妹で同じ顔だものな！ずるいよ！
どうしてそんなに疑うのですか？

先輩！本物のマリアさんですよ！昨日 香港から帰国したんですって
なに！本当か!?

本当に本物のマリアか！
そうですわ！

いやぁよかったよかった!!
よく日本に帰ってきたね

なぁんだ
びくびくして
そんしたよ!
あつい コーヒー
一気に
飲んだから
味がわから
なかった

妹の
マリリンが
両様に何か
したんですか!?
別に何も
しないが
わしの
生活態度に
ついて
やかましく
いうんだよ!
110番

フロに入らないから
きたないとか
Yシャツは毎日
とりかえろとか!
駄菓子屋での
買い食いはよせとか!
行動や
しゃべり方まで
いちいち注文
つけるんだぞ
しつけに
きびしい妹
なんです

マリアのふりして
わしを
だますんだぞ
てっきり
帰ってきたと
思ってな!
安心して
ちょっと
胸を
さわったら…

毎日 行動を
チェックされて
ました
からね!
競馬も
隠れて
予想して
たんだぞ

見ろ!!
電気スタンドで
思い切り3発
くらわされた!
頭がわれたかと
思ったぞ!
まあ
ひどい

しかし
これで やっと
平常の生活に
もどったな
はい！

洗濯物
なんかも
たくさん
たまっちゃっ
てさ！
今日から
また寮の方に
いきますから

この一週間
カップラーメンの
日々だった
からな!!
やっと手料理を
味わえるよ

これから
七面鳥を
買いにいって
きますから
なに!?
七面鳥

派出所で
七面鳥を
飼うのか？
クリスマスの
準備を
している所
なんです

すごいな！
麗子
がんばってる
じゃないか
明日が
クリスマス
だから
大忙しよ！
シャカ
シャカ

そうか
クリスマス
か！

派出所のクリスマスにしちゃ大がかりだな
署が主催でやるクリスマスよ

近所の人たちにケーキをプレゼントしたりするんですって
交通課の婦警さんたちがケーキの担当なのよ

そういや部長がクリスマスがどうのといってたな
それよ

これがクリスマスのケーキか?
変な形だな

それがヨーロッパでは正式なのブッシュ・ド・ノエルっていうケーキよ
今回は栗をつめたローストターキーやクリスマスプディングも作るの!本格的でしょう
なんだか全然わからん

うん!うまい!名前はともかくいけるな!
だめよ食べちゃあ!!

そうだ!いけない!!
ツリーもまかされていたんだっけ!

両ちゃん
ツリー
買ってきて
くれる?
いいよ!
おもちゃ屋で
安売り
してたぞ

できれば
本物が
いいんだ
けど!
そうか
わかった
!
知り合いに
造園業を
やってるやつが
いるから!

なんの木
だっけ?
竹か?
それは
七夕
ですわ!
そうか

もみの木よ!
しっかり
して!
間違えて
松の木なんて
買って
こないでね!
わかった
金くれよ
金!!

いくら
ぐらいで
買えるの?
3万円
かな…
いや!
5万円
くらいだな
わしの顔で
まけさせてくる

はい
5万円

かざりは
あるから
ね
わかった
じゃ
いって
くる

一万円札をこんなにたくさん見るのは久しぶりだな!
こういうデザインしてたのか忘れてたよ

おっ!

幻といわれる・・・テトリス3が!
なんでこんな所に!

今日入って一個だけ残ってたんだよ運がいいね両さん!
やったーラッキー

そのお金使っちゃっていいいんですか
いいんだよ6,000円くらい!あとで返しときゃ!

あっ!あれは!

展勝堂の限定モデルC11じゃないのか!?
あれ? 両さん買わなかったのかい!?

情報不足ですでに予約完売でな! あっちこっち手を回したがダメだった!
数が少ないからねたまたまキャンセルした予約品が入ってきたんだよ! うちに!

さすが展勝堂! 細部がまさに芸術の域だな
全真鍮製の手作りで22万円は安いよ

そんなにするんですか?
限定でこの価格は買い得と思いますよ
30万円台がザラだから……

よし! 買った!! これをくれ!!
えっ!

お金をそんなに…
口出しするんじゃない!

男として特別限定は買わねばならんのだ!
道楽の道のつらい所よ!

頭金3万円で
残り72回の
ローンな!
72回は
ちょっと
長すぎるよ

定価で
買えるなんて
しあわせだよ
発売と同時に
プレミアが
5万ぐらい
つく品だぞ

ピント商会
これで
わが家の
Nゲージも
楽しみに…
おもちゃや

両様!
ギイイ
ビシッ
ギイ

もしや
あれは
ガッ

やはり!
ローライフレックス
2.8
Fのゴールド
モデル!
この価格は
死ぬほど
安い!!
Rollei ローライ
フレックス2.8F
(ゴールド)
¥70,000
プラナー 80mm
F2.8HFT
ケース無し

今度は
カメラですか
?
友人に二眼レフを
収集してる
やつがいてな
このゴールドなら
20万円でも
喜んで買う!
ぜい
ぜい

中古でもかなり程度はいい！わしが買ってやつに売りつける！
5万くらいにまけさせてみせるよ
ピ

定価は七万円也!!
ビタ一文まからん!!

見るからにガンコそうなじじいだ！くそ！
ローンはおことわり!
カードもおことわり!
お支払いは現金で!
とにかく現金で!
マリア金かしてくれるか！
本当に買うのですか!?

中古カメラは現品限りだからな！・・・その時をのがすと二度と手に入らんのだ！
はは はい

いやぁよかった！よかった！
今日はいっぱい買ったな

お金がもうありませんけど……
え？なんの金？

ツリーを買うお金です
そうか忘れていた！

ツリーを買いにいく途中だったんだ…
すっかり自分の金だと勘違いしてた…
ヨロ
ヨロ

マリア！なぜそばにいて止めてくれなかったんだよ！
男として買わねばならん…とかいわれたので…つい…

そうだ！友人にこのローライを20万円で売ろう！すぐ現金が入る！

ベルサイユ西亀有

おい森川！あけろ！
ドドン
わしだ！いい物を持ってきてやったぞ！
あの…

森川さんなら昨日引っ越しましたけど…
えっ
なんてこったくそ！
沖縄だといってました

森川め！
勝手に引っ越しやがって！
沖縄まで
売りつけに
いってやる！
無茶ですわ
両様！

まいったな
マリアも
金がないし
な…

よし！
最後の
手段だ！
えっ
どこへ？

勝手に木を
持っていく
んですか？
違う！
ちょっと
・・・
かりるだけ
だよ！

もみの木なんて
クリスマスが
終わりゃ
用済みなん
だから！
ちゃんと
つぎ木して
元にもどし
ときゃ
いいんだよ

そんな大きい
木をつぎ木に
？
不可能を
可能にする
男だ！
心配いらん！
クルッ

それより 周りを見張ってろ！こんな姿を写真週刊誌に載せられたらシャレじゃすまんぞ
とても警察官とは思えない行動ですわ！

いい子たちにサンタさんからクリスマスプレゼントだ
おいしいケーキだよ
ワー
ワー

盛況ですね署長！
地域住民との親善にはいい機会だ！毎年やりたいな

立派なクリスマスツリーね！
わしが買いにいったんだ当然だよ

20万円のを5万円にまけさせたんだなぁマリア！
ええ…

なにビクビクしてんだよ！今夜返しゃわかりゃしないって！
はは はい

なんですと!!
信じられませんな！

何かあったんですか部長！
署から町会に寄贈した記念樹がなくなったんだ！
今日 見たらなくなっていたんです

なんですって!?
親善のシンボルだったのにとんだことになった！

私が選んだ木だ 今年で3年目になる素晴らしい木だったんだ！
署長が苦労して選んだのに本当ですか!!

とんでもねぇドロボウだその野郎は!
立派なもみの木だったんですよ

わかった!おそらくツリー用にかっぱらったに違いない!!
パン
おそらくそうだと思います

ふてぇ野郎だ!もみの木をとるとは…
もみの木?

どこいらあたりですか?とられた場所?
北亀有ですよ!!
北亀公園の中!

北亀公園!?
まさか……

あざやかな切り口なんですよ
プロの仕業ですよ
えっ

ちょっと失礼!

ガーン
寄贈 葛飾署署長 昭和61年6月

警察の名誉にかけて犯人を検挙しよう!
警察に対する挑戦だ!

あのう…犯人は…そんな悪い人じゃないと思いますけど…
え? なぜだい!?

ただなんとなくそんな気が……

ちょうどこのくらいの木ですよ
枝ぶりもよく似ている!
いや〜いそがしくて!!
さあて子どもたちにプレゼントをわたすかな!!

ちょっとまて!

何か隠してるなお前!
と とんでもない別に何も…!

ドギッ
これが盗まれた木だ!!
親善のクリスマス会に親善に贈った木を切ってツリーにするとは…
みなさん落ちついてください!
これには深いわけがあるんです!ほんとに!
ちゃんと名札がついてます!ほら!!
なんと!
両津
!!

記念樹のかわりにうめてやる!お前のくさった心が堆肥がわりになるだろ!
部長これは…人柱ですよ!夜一人じゃこわいですよ
天罰記念樹
平成元年12月25日

★週刊少年ジャンプ1990年３・４合併号

チャーリー小林(こばやし)有名化(メジャーか)計画!の巻(まき)

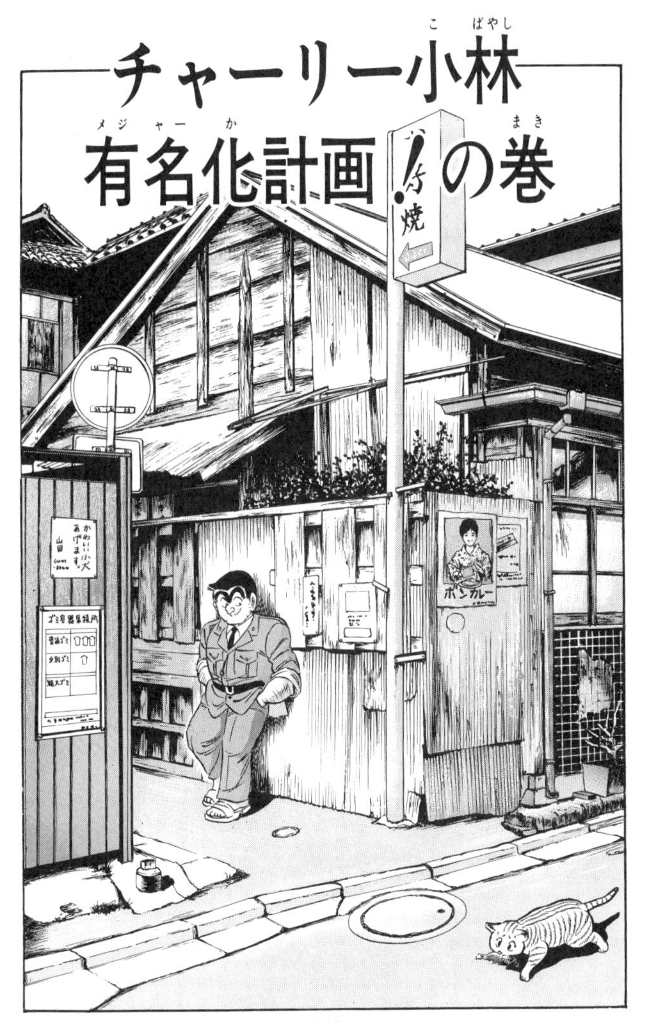

ガロオオオオォ

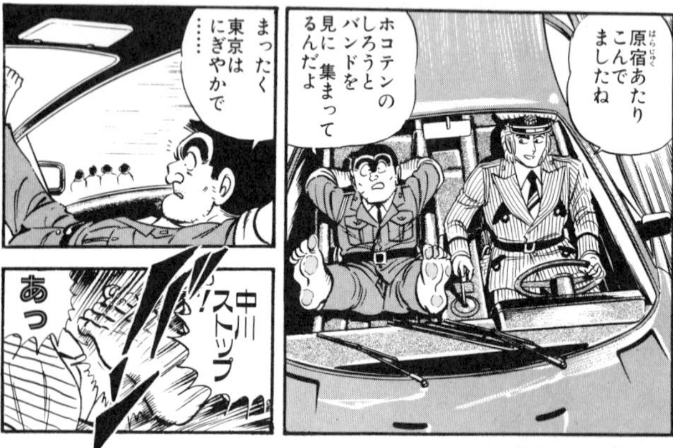
原宿あたりこんでましたね
ホコテンのしろうとバンドを見に集まってるんだよ
まったく東京はにぎやかで……
中川ストップ!
あっ

ギャイーッ

※チャーリー小林については、ＪＣ８巻、10巻、14巻など参照してネ!!

なんで
プロのお前が
あんな所に
いたんだ!

人気が急降下して
事務所や レコード
会社から クビに
なったんですよ
じゃあ
一から
出直しって
わけか!

空前の
バンドブームと
いわれてる
時期なのに…
バンドの
メンバーは
どうした?

解散ですよ
その後 また
作っては解散の
くり返し…
どんなバンド
作ってるん
だよ

先月解散したバンドなんですが…
見せてみろ!

ザ・ダスキンズというバンドですよ
チャーリー小林 & ザ・ダスキンズ
STEREO
アングラサウンズ
東京ハッスル男
45
ダン

60年代のGS（グループサウンズ）ですねまるで
なつかしのコミックバンドとして集まったのか?
とんでもない!ニューバンドですよ!!

テクノポップの次はサイケデリックサウンドの時代がくると思いまして!
20年前の写真かと思ったよ!

一番新しいバンドの写真もありますよ
どれだ

テンプクターズです新曲は「仏様おねがい」
チャーリー小林 &
テンプクターズ
仏様おねがい
B面 ごめんね天国
45
STEREO

本気なのか?
ギャグなのか?
どっちだ!?
もちろん
本気です
全然売れ
なくて…
テンプアクターズ
仏様おねがい♡

こんな
もん
売れるか
!!
なんてこと
するんです
!!!

こい!60年代の
頭に90年代とは
どんなものか
インプット
してやる!
あいたた
……

やってきました
勝ちぬき
エレキ天国!
初めに
挑戦して
くれる
バンドは…
勝ちぬきエレキ天国

この
グループ
です!
ザ・
ゲリラ

素人バンドで
勝ちぬいて
いく番組だ
最先端の
バンドが
出てくるぞ！
こんな番組が
あったとは
知らなかった

リード
ギター
ジュン

ベース
チョーサク

ドラムス
ショージ

ボーカル
レッツゴー
与太郎(よたろう)！
曲は
「2人の
ハイジャック」
!!
DINGER

ピーーッ
ファサッ
うおりゃあ!!
ビュッ
ワーキャー
ワー
ドガッ
ドガッ
2人のオピーはピーでピーだぜ
オレピーはピーピーでピーうれピーぜっ
ワーキャー
ワーキャー
ビビーン

うおおおお

ぐおりゃ〜

放送禁止用語
連発!!
花火を使った
ザ・ゲリラの
演奏でした!
どうぞ
拍手を!
パチ
パチ
パチパチ
パチ

見たろ! 現代ではこのくらいのインパクトがないと だめだ!
うーーむ すごい!
これなら用意してありますよ
なんだ?
ヘビメタセットです!
いえーーい
のってるかーーい
ジャーーン
あ… あら?
しーーん
チャーリーちょっとこい!
は?

今どき「いえーい」とか「のってるかい」なんてのは死語だぞ
そ そうですか？ナウなヤングにうけると思ったんですが…
頭もありきたりだ文金高島田にしろ
えーっ！
服も替えろ！
ピンクのフンドシがとても似合うぞ
なんか…変態ですよ

そこがいいんだ！絶対この姿は印象にのこる！
たしかにインパクトはすごいですよ！

バンドのレベルはみんな変わらん！あとはリーダーのキャラクターとアピール度できまる！
はは はい
初めに何かあった方がいいですね
ステージに出て一発目に何かほしいな！

いきなり火でもはきますか
そんなのあまい!

体にガソリンをかけての火の輪くぐり!
そんなバカな!!

ばかもの!
パ

チャーリー小林有名化計画に協力してるのに文句あるのか!
はい!わかりました!

キーボードをかつぎながらうたうのはどうです?
すでにやってるバンドがいる!まだあまいな!

よし!お前はハープをしょっての弾きがたりだ!
ちょっと!かんべんしてください!!

あんな重たい物
とても…
別な楽器
では？
だめだ！
絶対に
ハープだ!!

琴を
弾いたり
海パン姿で
演奏する
バンドも
いるんだぞ
ほとんど
漫画を
こえている
連中も
いるんだ！

グランド
ピアノを
かついでの
弾きがたりなど
やるバンドも
出てくる！
その点まだ
ハープなどない！
今がチャンスだ！

うたいながら
ガラスに
絵を描くと
いうのは
どうかしら？
素晴らしい！
見ている
お客の顔を
ひと筆書きで
書かせる！
いいな！

タロウTV
テレビは爆発だ!!

でやアア!

でえい
とりやあ
剣道ズ

ファイヤー
グッ

剣道ズの演奏でした!拍手!!
しかし・・・爆発の落ちは新鮮味がうすれてきました
天国
パチパチ パチパチ パチパチ パチパチ パチパチ

さすがに
すごい
挑戦者
ばかりだ!
大丈夫
お前の方が
すごいぞ!

そうですか?
だんだん
自信が
なくなって
きました…
シュルルル…

つづいて
9グループ目
ザ・
ショ・ド・ウ・ズ!!

うおおおっ
ジャーンジャーン
ジャーンジャーンジャーン

ズボッ
Pilot
製図用

でええい
シュルッ
いよっ
Pilot

素晴らしい!!
愛
ワ
ワ
ワ
いよいよ
ラストの挑戦者は
1 チャーリー小林とひとりバンド
2 ザ・ショドウズ
3 一輪車ばんど
4 剣道ズ
5 竹馬バンド
6 東京ローリング・ストーンズ
7 爆風ニトロズ
これでメジャーになれるぞ! 新曲のキャンペーンもかねてがんばれ!
ようし……
チャーリー小林と
ひとりバンド!!
うおおおお!!
キャー
キャー
わー!!
ポロロロロ!
ポロロロロ!
ポロロロ
ポロロロロン
ギャァア
うわぁ!!
わー

ガラッ
ひえっ
ガッ

テレビカメラをこわした!
ようし!いいスタートだ アピール満点!

オイラは命知らずのロッカーだ!
トク トク トク

え!?
カチッ

ゴオオオオオ
ポイ
うおっ

すごいバンドがあらわれました火の海へ飛び込むようです！
ジャカジャカジャカジャカジャカジャカジャロン
ギュワーン
キュー
キュー
いけ！チャーリーGO!!
うおおおっ
ザバーン
あちちちち!!
バシャッ
うわ
うわ火が！

うわっ火事だ!!
逃げろ!
キャーッ

テレビ局大火事さわぎ
ついに火がつく!
ブームのエレキ天国
チャーリー小林(29)火の海へダイブ!!
やりすぎとの声も!!!
新曲『ごめんね』
白新ロッカーのチャーリー小林

新聞に載ったんだから有名化(メジャー)計画は成功したんじゃないかな…
新曲キャンペーンにしてはハデでしたけどね…
名前も全国的におぼえてもらえたみたいね…

★週刊少年ジャンプ1990年８号

ボジョレー狂騒曲の巻
秋の交通

先輩宛の荷物だって!?
外にあと4個あるの?
全部両津勘吉様宛になってますけど…
中身なんですか?
ワインです!5,000本!
えーっワイン5,000本!?
はい

なんだこの荷物は?
先輩宛に届いたらしいのですけど…
ワイン5,000本も!

なに!!ワイン5,000本!?
その本人がどこかにいってしまったので…

あいつの居場所はすぐわかる
手錠ケースにポケットベルを入れておいたんだ
ピッピッ

さすが
部長だ…
深し回るより
確実ね!

ジリリリリン
ほら
連絡が
入った!

両津か!!
チャッ
あっ?
部長
ですか!?

ポケットベルなんか
仕掛けないでくださいよ!
ピーピー鳴って注目を
あびちゃいましたよ
お前宛に
ワインが
届いてるぞ

え!?ワイン!?
なんでですか?
じゃあ
とにかく
もどります

パチンコ屋で
さぼっていた!
まったく
あのバカ!
行動が すぐ
バレますね
先輩の場合は!

お前
パチンコ屋から
電話してるん
じゃないか
と…
とんでもない!
それじゃ!
すぐ帰ります
から!!
ガチャッ!

おっ
帰って
きた
キキイ

ずいぶん
遅かったじゃ
ないか!
こんな物
こっそり
入れないで
くださいよ
まったく…

なんだ
その
荷物は!?
え!?
こ
これは
日用品を
スーパーで
買ったんです

これが
わし宛に
届いた
ワインか?
外に
あと4個
ありますが
身に覚えが
ありますか?

パチンコ屋で
景品換え
していて
遅れたんじゃ
ないのか
ま
まさか!
ちょっと
おいて
きますから
!

さしだし人はテレビ局か
ん!? ひょっとして…!
思いだした! 1か月ほど前クイズ番組に応募したことがある
たしかイギリスの競馬馬が当たるってやつだ!!
馬がはずれて別の賞品のワインが当たったんだきっと…
5,000本も送ってくるとはすごいですね
ボジョレーよ! このワイン
オフランス社のボジョレー・ジザベル・ヌーボーだ
なんだそりゃ
どんなワインだかあけてみよう
バキッ
フランスでその年にとれたぶどうで作られる新しいワインがボジョレーヌーボーです
毎年11月の第3木曜日がボジョレーヌーボーの解禁日でいち早く飲むのを楽しみにしているフランス人が多いんです
日本の初・が・つ・お・みたいなもんだな

解禁日は
世界共通ですが
時差で日本が一番
早く解禁日が
くるわけです
ボジョレーヌーボー
祝う会
だから日本での
ボジョレー人気が
すごいんですよ
'89年は
11月16日が
解禁日ですが…

解禁日の
午前0時に
飲む会もある
とかで…
まるで
早飲み
大会だな

しかし…解禁は
フランスの法律で
決められてるのに…
一週間も前に
これだけの量が
持ちだされるとは…
信じられない!
おかしい
わね!

わしにとっては
ワイン5,000本より
日本酒5,000本の
方がよかったな

秋の交通安全
あ
TV
キイッ

おおっ あった
やはり ここに きてたか!!

なんだ お前ら
あっ

すみません 私 テレビ局の プロデューサー です

開局30周年記念 大プレゼントがあって このボジョレーヌーボーも 500名に当たるはずの 賞品なんです
馬が 当たる やつだろう
はい

よく 名門 オフランス社の ボジョレー・ ジザベル・ ヌーボーが 手に入り ましたね
なにしろ 30周年の 目玉賞品 ですからね
テレビ局の強引さで 航空便のボジョレーを すべておさえ 局の 特別機で どこよりも 早く国内に 持ち込みましたよ
密輸に 近い ですよ…

なにしろ
オフランス社の
航空便の
ボジョレーは
世界に この
5,000本のみ
ですから
なに！
そんなに
貴重なの
か!!

手違いで 500名の
当選分が
おたく一人に
届いてしまったんです
返して
もらえ
ますか？

だめだ!!
当たった以上
すべて わしの
ものだ！
えっ
そんな
だめ！
絶対
返さん！

先輩！
いいから
お前は
ひっこん
でろ!!

どうしま
しょう
買い
もどす
か！

あの…
じゃあ
買わせて
ください
いくらで
買いたいの？
おたく
ズイ

一本
1,000円
くらいで
……
安すぎ
る！
まったく
話に
ならん!!

お巡りさんは
忙しいんだ
帰った!
帰った!
そんな!
先輩
どうするん
です
このワイン
もちろん
するんだよ
商売
もちろん!

世界に5,000本しか
ないんだぞ!
すごいことだぞ!
マスコミは
絶対
食いついて
くる!
ニカッ
翌日の朝刊に載ったとたん
マスコミと業者が目をつけた
ローカル スポーツ
幻のワイン
ボジョレ・ジザベル・ヌーボー
ジザベル社
お巡りさん一人じめ
5000本も
解禁一週間前に
入手!!
マニア激怒!!
両津巡査長

両津
巡査長
いますか
両津さんは
どこです!
ボジョ
レーの
お巡り
さんは!?
ガヤ
ガヤ
ガヤ
ガヤ
通安全
警視庁

ここにいることはわかってるんですよ！
ガヤ
ガヤ
ちょっと待ってください！
新聞にちょっと載っただけでこの騒ぎだ！
両ちゃんのいったとおりね

みなさん落ちついてください！
先輩！
Beaujobis
ガヤ
ガヤ
オーッ
私が話題になっているボジョレー両津ソムリエ巡査長です
オー
わあ
オー
ボジョレー・ジザベル・ヌーボーは本当にあるんですか
もちろんですとも
ガヤ
ガヤ

これがそのボジョレー・ジザベル・ヌーボーです
オーッ
ワッ
カシャ
カシャ
カシャ

報道撮影用に
一本 ここにおいて
おきますよ
お手を
ふれない
パシャ
パシャ

ボジョレー・
ジザベル・
ヌーボーを
あけます!
オー
なんと
大胆な
!
すごい

オー
オー
ポン
あいた!

つぎます
オーオーオー

カメラ!
もっと前に!
そう!
グーっと
よって!
よって!!

これより
ボジョレー・
ジザベル・
ヌーボーを
飲みます!!
えっ
そんなァ
!!
オー
ワァ
ワァ
えー

解禁日まであと6日
1989
11月10日
うしろの日付がちゃんと入るように！いきますよ！

11月1
11月1

世界一早くボジョレーヌーボーを飲みました!!
解禁日を恐れぬ男それが私です!!
ワー
オー
ワァ
パシャ
カシャ
カシャ
パシャ
パシャ

そこのレポーターの方一歩前へ！
えっ私!?

ぜひ民間人にも体験してもらいましょう
えーっ
オー
オー

世界で2番目にボジョレーを飲んだ日本人はこの方です!!
オー

報道関係者では・・・あなたが一番のり!歴史に残りますよ!
ワー
パチパチ

「ボジョレー早飲み会」ですが ぜひ両津様のワインをお譲り願いたいのですが…
ガヤガヤ
ほう…

ぜひ価格について 奥でお話を…
ポン

この方に3本お譲りすることが決定しました!!
民間小売第一号です!!
ワー
え
カシャカシャ

よかったですね！ご感想をひと言!!
解禁日より早く手に入るなんて夢のようです
ガシャ

見ろ！希少価値の威力はすごいだろ
残りのワインはどうするんです!?

新聞発表と同時に大手から電話があり既に4,500本は売約済みだ
残りをちょこちょこ売りさばき小銭を稼ぐ！

一本2,000円の小売で計900万円！すごいだろ！
ハガキ一枚でこのありさま
ポン
Beaujobi

なにせ世界で5,000本しかないんだからな

今朝パリの友人にきいたんですが今年から船便用に大量生産したとか…
そんなバカな！
100万本もあるのか!?
オーー
ガヤ
ガヤ
ガヤ

うわさではボジョレー・ジザベル・ヌーボーの船便が100万本あるらしいですよ！
えっ
えーー
なに！

皆さん落ちついてください！
船便が日本にくるのは一ヵ月かかります解禁日まであと6日！間に合いません!!
大原
えー
100万
ボジョレーは早く飲むのが本道!!遅れては無意味です！
船便は赤道を通って熱されるからきっとまずいに違いありません！
ガヤ
ガヤ
ガヤ
中川マスコミの前で変なこというな！
あいた！
100万本もあったとは誤算だったが…
まっ…むこうはのろい船便！どう見てもわしの勝ちだ大丈夫!!
むふふ
その情報を業者もかぎつけ すぐ各社が大型ヘリで船に直接買いつけにむかった
ボジョレー・ジザベル・ヌーボーの奪い合いの戦いがはじまったのである!!
中には米軍の協力をたのみ音速のF－14で買いつけにきた企業もいた

なんですと!
2,000本キャンセル!?
ほかにルートができた!?
そりゃないですよあっっ!
ガチャッ
きたねぇ!! ヘリを使って解禁日に間に合わせる気か!!
日本企業め! 手段を選ばずなんでもしやがって!!

洋酒輸入販売会社

今マスコミで話題のボジョレー・ジザベル・ヌーボー 4,996本!
お安く小売しますよ!

今日本にあるのはこれだけ!! 希少価値ですよ!
両津酒店

解禁日直前に2万ケース届く予定でね悪いけど!
予約受付中 ボジョレーヌーボー
ガラ
ガラ
ガラ
くそーーっ大手はすべて確保しやがったななんてこった!!
早いとこ売らないと価値がどんどん下がる!!
ガラ
ガラ

11月16日 ボジョレーヌーボー解禁日
11月
16
(木)
解禁前の大人気に目をつけ各企業が買いあさつた結果…
ボジョレー・ジザベル・ヌーボーは 品がだぶつき値くずれをおこしたのであつた!!
リカーショップ
ボジョレー入荷!! 11月16日 解禁日
安売りコーナー
大安売り
オフランス社
ボジョレー・ジザベル・ヌーボー
1本500円

ちくしょう だから よせといったのに!!
共食いになっちまったじゃないか!

なんなのこの味!
発酵してますよ!

じゃあ全部・・
だめですよ！
とても
飲めませんよ
これじゃ！
ワインは
保存が
難しいのよ
両ちゃん！
亀有公園前派出所
ガッ
ちくしょう！
売ることも
できんのか!!
ワインを作るのは
大変なんだぞ！
捨てるなんて
許さんぞ
自分の責任で
全部飲むんだぞ

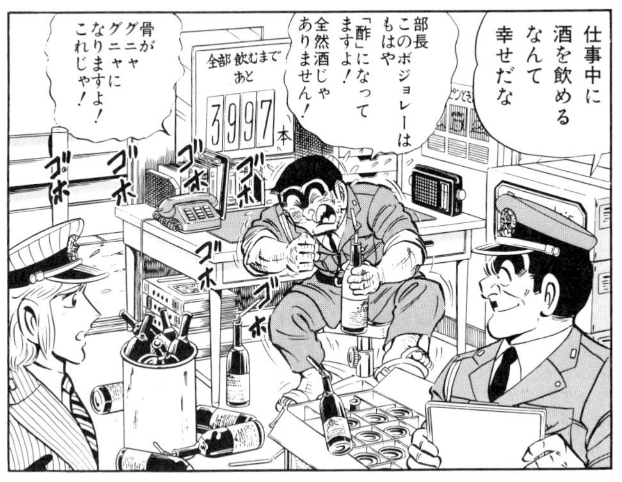
仕事中に
酒を飲める
なんて
幸せだな
部長
このボジョレーは
もはや
「酢」になって
ますよ！
全然酒じゃ
ありません！
骨が
グニャ
グニャに
なりますよ
これじゃ！
全部 飲むまで
あと
3997本
ゴホ
ゴホ
ゴホ
ゴホ
ゴホ
ゴホ

★週刊少年ジャンプ1989年50号

勤務交代で あたしたち これから 柴又の帝釋天に いってくるの
えっ あの映画で 有名な！
公園前派出所
夏の交通安全
警視庁
警視庁

ひと目見たいと いうから 案内 してくる ふだん 金銭的におせわに なってるからな
お仕事 がんばってね いってきます
金町から 電車で いくぞ
レールが 単線だから 泣けるほど 本数が少ない かくごしろ！
借金のお礼に 東京案内とは 先輩らしい ですね
へたな 添乗員より 下町は くわしいからな あの男は！

柴又の思い出の巻

柴又の思い出の巻

柴又〜〜〜
柴又〜〜〜
上野・押上
成田・空港
地下鉄線 方面

金町 柴又 高砂 3つの駅しかない 高砂で本線につながってるがな
本来 貨物用の線路を帝釈天の参拝用に作ったんだ 西新井の大師線と似てるよ

柴又駅についたぞ!
えっもう!

この駅前は映画で見たことあるわ
さくらが寅さんを追いかけて見送るシーンでよくでる
柴又駅
柴又屋

昔はよく
ロケを見物にきたもんだ！
本番中 大声をだしたりしてな
わしの親戚の家がこの近くにあるんだ
ガキのころよく その家に泊りにきてな
夏は必ず船橋ヘルスセンターにつれてってくれるんだ

プールあり 海あり
大浴場あり 遊園地あり
華やかな踊りあり…
まさに当時のわしらにはパラダイスだ
潮干狩りもできてセスナにまで乗れるんだぞ！
神明會
草だんご
高木屋老舗

夏のメインはなんといってもプールに巨大なすべり台のついた大滝すべりだ
冬は そのすべり台に人工芝をかぶせてスキー場になるんだぞ!!
すごいだろ！
リフトまでついてんだぞ
とらや
氷

さっきの京成電車でいくんだよ!
ガキのわしらにはディズニーランド以上にすごい遊園地だったぞ
今となってはそのヘルスセンターもなくなってしまったがな
へえ

この柴又にくると船橋ヘルスセンターや谷津遊園 江戸川の花火など思いだすよ
いろんな所に親戚がいるのね

ほら見えてきたあれが帝釈天だ

正確には題経寺というんだぞ

これが本堂だ
ミーンミーンッ
ジージー
まあすごく立派ね！

法事の時にわしもなん度かきたが うらの庭も立派だぞ！あまり知られてないけどな

近くにある小岩の寺にも・・・巨大な松の木がある！これもすごいぞ一見の価値があるぞ！
アイス
下町をじっくりさがすと見る所がいっぱいある

法事でさい銭箱の前を移動するんだあれが非常にてれるんだよ
ふーん

寅さん旅から旅への20年"
シリーズパネル展
お手洗
この寺のうらがすぐ江戸川だ今夜は花火大会があるからな
それでたくさん人が集まっていたのね

あっ!?

やったぜ!! 親戚のおじさんがいた! これで夕食はきまったぞ
まあ!

あっ勘吉
こんな所で油売ってちゃだめだろまったく!

今日は部下を柴又見物につれてきたんだ
麗子ですよろしく
いやこちらこそ

よかったら夕食でもたべていかんか？
会った時からそのつもりだよ！
日立

今夜は花火だからなビールつきの特等席を確保できたよ
図々しさはかわらんな

親戚の方お総菜屋さんなのね
だからたべ物には不自由しないんだ

どこかできいたような声だな？

あっ⁉ 両津‼
あっ署長‼
キムラストア

なんで
お前が
こんな所に
いるんだ!?
この店は
私の親戚
ですよ
おじいちゃん!
署の問題児って
このお巡りさん
でしょう!?
こら!
よしお
!

ふだん私のこと
どんな・・・うわさ
してるんですか
?
別に
うわさなど
しとらんよ
!

署長さん
お孫さん連れで
お買い物大変ね
!
むすめ夫婦が
ハワイに遊びに
いっててね
その間あずかって
いるんだ
は・は・は

勘吉
この人と
知り合い
か?
知り合いも
何も
うちの署の
署長だよ

えっ
署長!?
この
人が!

おばちゃん
署長
何注文
したの？
精進揚げと
ハムカツと
メンチカツ
だよ

エビやイカを
入れてやってよ
ふだん世話に
なってるん
だからさ！
それじゃ
精進揚げじゃ
なくて
か・き・揚げに
なっちゃうよ！

じれったいな！
ちょっとわしが
かわるよ！
大丈夫
かい？
あんた

署長!! 私が
大サービス
しますから！
ジュウウウウ
ジュウー
気を
つかわんで
いいから

ズン
へい！
特大カツと
天プラ!!
おまちどうさん
！

署長
今後とも
この店を
ごひいきに！
ゲイ
ゲイ
だあ
だぁ
まずい姿を
見られたな…
当分いわれ
そうだ…

さっきの
人だけ
サービス
するなんて
ずるいわよ
そうよ
そうよ!
ガヤ
ガヤ

ようし!
今日は
特別に半額
サービスだ!!
本当!!

勘吉
ちょっと
まて!!
勝手に
半額に
するんじゃ
ない!
グイ

もう
いっちゃったん
だもの!
しょうがない
だろ!
そうだ!
そうだ!!
この人の
いう
通り!!

まいったね!
特売日は
終わったのに!
ザー
お前が
勘吉に
まかすから
いけないんだぞ

おばさま
手伝い
ますわ
そうかい
じゃあ
えんりょ
なく
たのむね!
ジャ
ジャ

ただいま
お帰り！

お父さん
今日はずいぶん
お客さんが
多いわね！
勘吉が
半額セールに
しちまった
からな！

えっ
両さん
きてるの
おっ
帰って
きたな
ジュー

わあっ
両さんだ
あとで
ファミコン
教えてね！
私もね
はは
わかった
今 忙しい
から あとで
な
ジュウウ

おい！
材料が
足りないぞ！
困ったね
もう
ぜんぜん
ないよ
ガヤ
ガヤ

肉やエビが
あるじゃ
ないか
チャッ
だめだよ！
それは
今夜の
おかず
だから!!

このさい
なんでも
売って
しまおう！
ストップしたら
客が暴動を
おこすぞ

上等な伊勢エビ！早い者勝ち！
ジュワワワ
5個ちょうだい!!
私は10個!!

トマトとぶどうの天プラ！これも半額!!
ちょうだい！

いつもの10倍疲れたよ

いや───…今日はまるで戦場みたいなさわぎだったな！
あんなにお客さんがつめかけたのははじめてだね
チリ〜ン
たべられる物全部天プラにしてしまったからな…

お父さん
今日 夕食は
ないの？
勘吉が
家中の物
すべて売って
しまったんだ

おまち
どう様！

のこっていた魚を
ソテーして
プロバンス風
ソースで仕上げて
みたの…
とにかく
材料が
なくて…
あとオニオン
グラタンスープと
スフレも
よかったら！
わーーい！
ほう
これは
すごいな！

京子ちゃんと
いっしょに
作ったの…
ねっ！
へえ
うちの
京子が！

麗子さん
フランス料理
すごく
くわしいのよ！
外国に住んで
いたんですって
なんと！

神戸のお嬢さん
だからな
なんたって！
そう
だったの
か？

そうとは知らず
洗い物までさせて
悪かったね
気に
しないで
ください
よかったら
せまい家ですが
泊っていって
くださいよ
えっ
泊っていけよ
ひとフロあびての
花火見物は
最高だぞ
ゆ
両さん
いたいよ
ゴシ
ゴシ
強く
こすらないと
落ちないぞ!
もう
やだよ
〜〜っ
ドドド
こら! まて!
まだ頭を
洗ってないぞ
にげるな!
カコーン
うわっ
大きな
声だから
響くわね
ほんと
よしっ
終わり
あっち
!!
バシャ
百太

ズル
ガシャーン
ガチャ
ガチャ
ぐわ
あいててて…!
お客さん
ガラス
割っちゃ
だめですよ!
どこに
いっても
目立つ人ね
パーマ
寿し

おフロで
よびかけないで!
はずかしかった
わよ!
お前が
悪いん
だぞ!
ポク
カラン
あいて!

ドドーン
おおっ
すごい!

ドー
こんな近くで
見るのは
はじめてよ!
毎年 花火の
シーズンだけ
この家に
くるか!?
お盆の
送り火にも
景気がつくよ

心を無にして花火をながめるのもいいもんだ
両さんこれどうやるの？

これはアイテムをとらないとダメだ
まだとるの？
ピピピ…
かしてみな
「無」にはできないみたいね

むりやり泊めてすみませんね
京子の面倒まで見てもらっちゃうし…
ぜんぜん！いろんなお話ができてたのしいですわ

私のマンションには花火の見える庭がありませんし…
ドン！
なるほど

帝釈天参道

ぐおおお

オリエント急行はこの線路を通ってベニスへいくのよ
まあすてき

私も大人になったらいってみたいわ!
その時は連絡してねあたしが案内してあげるわ

英語をもっと勉強すると旅がなん倍もたのしいわよ
あたしがやさしく教えてあげようか
本当!やったぁ

う――む…大赤字だ!

あんた!いいかげんあきらめなさいよ
今日あれだけ労働して赤字だこれも勘吉のせいだよ参ったな…

葛有公園前派出所
夏の交通安全

おはよう
おはよう

両ちゃん ゆうべは ごちそう様
それどころじゃないよ

何かあったの
半額セールをやったろ!

きっぷのいい店だってお客が朝からならんでるらしい
忙しくて また手伝いにきてくれってさ! さんざんおこってたくせに!
損して得とれね
さすがに両ちゃんは商売の才覚があるわ

★週刊少年ジャンプ1989年37号

笑撃（しょうげき）の大運動会の巻（まき）

亀有公園前派出所
秋の交通安全

いよいよ明日だな
今年もうちの派出所がトップですよ
警視庁主催
派出所対抗
秋の大運動会

先輩だけでも強力なのにスプリンターの軽田塁巣さんがいるから最強チームですよ
わしは明日結婚式の仲人をするので参加できないががんばってくれ

見てください部長!!

松茸じゃないか!
すごい数でしょう!!

どこからこんなにかっぱらってきたんだ!!
買ったんですよちゃんと!

今料理してきますから楽しみにしててください

両様変わったキノコも混じってますわ
本当だ下の方は松茸じゃないな

とにかく焼いてしまえ!
はい
ジュウウ

どうりで安いと思ったよ
まっ 同じキノコだ食べられんことないだろ

皆さんどうぞめし上がってください
いやぁいい香りだ

うまい!丸かじりとは贅沢だ!
本当ですね

先輩高かったでしょう
それがメチャ安!
3キロで980円

3キロで980円??!
そっ！公園にリヤカーで「産地直売」で売りにきてたんだ
モグ
モグ

980円は安すぎるわね
よく見ると別のキノコも混じってる…
いちいち調べるんじゃない！おいしく食べりゃいいだろ！

結構いけるぞおいしい！
でしょ！安くてうまけりゃ最高！
パク
パク

いやぁめいっぱい食べたな
さすが3キロは食いでがあったな！

それにしても3キロ980円は異常ですよ
しつこいなお前も！

わははははは…

※オオワライタケ＝全世界に分布する毒性のあるきのこ。多量に食べると５～６分でめまい、興奮、狂騒状態になる。なお、作品では誇張してあります。両さんのマネして食べないようにね。

わしは明日仲人をするんだぞ！こんな顔でいけるか！
私のせいじゃありませんよ!!
わははは
かなり長い間症状が続くみたいです
なんだって!!!
ははは…
笑ってる場合か!! 両津!!
自分の意志じゃありませんよ!!
わはははは
中川たちも食べたはずなんですが？
そうだ なぜ我々だけ？

量が問題らしいですね ぼくらは量が少なかったので症状が現れなかったんですよ
ほら!! 原因は本人じゃないすか!!
ギク

部長がタダだと思ってガツガツ食べるからですよ！
大食らいが原因です!!
お前が安物を買ってくるからこうなったんだ 原因はお前だ！
あいたたたた…やめて～
ポカ
ポカ
ポカ
わはは

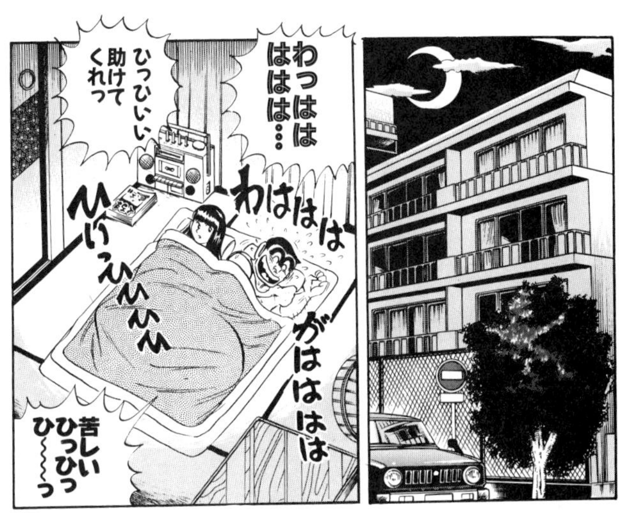
わっはははは…
ひっひいいい
助けてくれっ
わははは
ひけっひんひんひん
がははははは
苦しいひっひっひ〜〜〜っ

もう夜中の3時ですわ ねむらないと体に悪いですわよ
わはは
わかってるよそんなこと!
ひっひひっ

笑い声で起きてしまうから猿ぐつわしておこう
かわいそうな両様
くっくっ
くっくっ

部長さん
ちゃんと
結婚式に
いったのかしら
朝 電話したら
ずっと笑いっぱなし
だったよ
少し心配だね

…ということは
両ちゃんも
………
おそらく
治ってない
だろうね

わははははは
きた
みたい
ね

わははは
わははは
ゆうべから
全然 寝て
ないんです
その状態じゃ
ねむれない
だろうね

今日 出場できますか？
大丈夫だ
笑いすぎて少々体力が落ちてるがな…
ぜい
ぜい
葛

それより何か食べる物あるか？
はい！
アンパン150
牛乳100
葛飾署
7

せめて食べ物を食べて体力つけないと！
それが……
ゴク
ゴク

わははは
うわ
ぶっ

わははちくしょう！
食べてる途中笑ってしまうんです なかなか食べられなくて…
わははははは
ゴホ
ゴホ
ゴホ
ゴホ

先輩ムリして出場しない方が…
平気だ！わしがいないと負けるからな

男子200メートル予選をおこないます

なんとか笑いをこらえんといかんな
ようい…
くっくっくっくっ……
が…がまんしろ
あははは
がははははは……
わははは
がははひっひいっ
だ だめだ力が入らない!!

予選落ちです!! ごくろうさん!
ちくしょう!!
わははは
ビリでも笑う余裕あるんですね
好きで笑ってるんじゃねえぞ!
ご ごめんなさい!?

男子100メートル
決勝戦を
おこないます
ワーッ
カルタ―
ルイス―
軽田さん
すごい人気ですね
運動会の
注目の的ですよ
我が軍の
秘密兵器
だからな
わははは
私の華麗なる
走りを見て
くれたまえ!
かっこいいー
カルター
おや?
くつひもが…
シャキッ

ドン
いかん!!
体が!!
ガシャ
ぐわっ
ドガ

あいたた
骨が
おれた!
あーあ…
また
やっちゃった……
情けない
秘密兵器
だったな

恵比須さんが
やっと
見つかり
ました!
よし!

ぼ ぼくも
出場するん
ですか?
作戦だ!
毒を持って
毒を制す
だ!

ぼくは笑いじょうごで…
ぷっ
わははははは…
くっくっくっ

わははは
がははははは
ははっ…
先輩しっかりしてくださいだ!
わははは

ここれでいいんだよこれで!!
そう…ですか
!?
ひひひひ
ひひっひい

男子300メートル予選をおこないます

位置についてよ——い…

ぷっ…くっくっくっ…
くく…く…ぷ…くくく…

く…くく…
ぷっ…くくく
くくく…

わはは
はは…
わははは
ははは…

ようしっ
いいスタートだっ！
笑いながら走れば条件は一緒だからな！
わははは
あっくそ!!
もう立ち直ったか!!

がははははは…
チャンスだー!!

一位！
わはははは

1
見たか見事予選通過だ!!
わははは
卑怯な手段ですね

徒競走は次々とギャグの連発で相手を笑わして 批判をうけながらも勝ち進んでいった
住派出所
亀有公園前派出所
90
45
30
さて！午後の一発目も笑わしてやるぞ！
プログラム
午後
ウエイトリフティング
1:00
2:00
先輩!! 大丈夫ですか？
なんとかなるだろ
室内競技場
9
公園前派出所 両津くん！250キロ
はい
わはははは
わははは
9
こら！ふざけると ケガをするぞ！
わかってます！
これは意志と別なんです！
くっくっくっ
これは点数が高いからな
なんとかこらえて…と…
カチャ
せい！
ガシャーン
葛飾署
9

ぷっ

わははははは
ヨロ
ヨロ
ぶはは
はは…
だ
だめだ
力が…
ヨロ

うわあっ
あぶねえ
!!
ヨロ
ヨロ
ヨロ
ヨロ
わあっ
ガヤ
ガヤ
ガヤ
ひゃあ
逃げろ
!

くそっ
最後の力を
ふりしぼっ
て……
グ
グ

でええい!

わははは
ドン

苦しい
わははは
……
わははは
助けろ!
ひっひっひ
ひい〜〜
バタ
バタ
まるで
喜んでる
みたいだな…

もう一度やらせてくれ!!
ちょっとエンピツをかせ!
えい!
きゃあ
痛くて笑いを忘れてる間に!
グイーッ
でえい
すごい闘志だ!!
オーオー
わはははは
ズル
ガツン
ぐわああ頭が!あははは
痛がるか笑うかはっきりしてください!
ゴロゴロ
私が両様のかわりに派出所代表で上げます
えーまさかー
なにっマリアが!?

グッグッ
オオオオ
ワァーッ
おおっ 250キロを!
あの体で!?

さすがマリアさんね!
パチパチ
パチパチ
パチパチ
くそっ 情けねえ

さすがの両さんもこのハンディには泣かされた!
ゴボッ 口に水が!!
あははは
ゴボ ガボ ガボ
まだ余裕があるだろ? 笑っちゃって……
か かんべんしてください…
本当に死にそう…
あ・は…
は・は・
ぜい ぜい ぜい
なん十時間も笑い続け体力は既に限界をこえていた

それをカバーするように麗子の女子マラソンや中川のテニスで高得点を上げて ついに…
亀有公園前派出所
155
公園前派出所チームは優勝したのであった!!

こちら葛飾区亀有公園前派出所⑤（完）

★週刊少年ジャンプ1989年48号

解説エッセイ「こち亀は不滅でーす」

山本晋也（映画監督）

下町あたりというもんは面白い。
それこそ人間的な、あまりにも人間的なっていう世界が、グチャグチャあったりして。『こち亀』なんかが昔から好きな理由として〝こうなっちゃったら、世の中おもしれえだろうなァ…〟なんていう実に無責任な大衆の心理状況が、パロディと申しますか、反逆精神と申しますか、あるわけね。
好きですねェ、両津勘吉なんツー、バカな野郎は。たまんないっスもんねぇ。
つい先日も、下町あたりを「トゥナイト」の取材に行ったわけ。ま、下町取材の場合、ボクの個人的基地みたいのがあるわけ。「ヤキトリ屋」のじいちゃん家なわけですけどね。笑っちゃうのは、『こち亀』が数冊あるわけ。炭でうす汚れちゃってサ。
「おいちゃん、こんなの読んでるの？」

「ああ、孫の奴が持って来てくれたんだ。バカなおまわりが出てて、おもしれえや」
「へえ、マンガ読むんだァ…」
とはボク。仕込みの炭火をおこしながら、おいちゃんが云う。
「昔はなァ、マンガ本てえもんは、もっと大きく描いてあったもんだけど、今は字も絵もちいせえねぇ」
そう云いつつ、老眼鏡のくたびれたのを出す。解りますねえ、ボクもですよ。いつの間にかお世話になってるわけでして、老眼とマンガについちゃァ、いろいろ云いたいわけ。そうだ、どうもいけねえね、老人のヒガミみたいですサ。
いずれにしてもですよ、大切なことは、老眼かけてる下町の労働者が『こち亀』読んでウサをはらしてるってことは、すっごくいいことなわけサ。
「こないだもね、云ってやったんだよ、ほら、そこの明神サマのね、大鳥居サ」
ロケ休みで寄って、茶を飲んだがあとの祭り。
「バチアタリだって云うのよ、罰当りィ」
なんのことかと申しますと、その昔、といっても昭和30年代あたりまで、神社の鳥居より高いもん建てちゃァいけないことになってたわけね、氏子としちゃァサ。それが面白くねえとおいちゃんは云う。
確かに大鳥居があって参詣の道があるけど、両はじはもう、マンションみたいな立派な建物ばかりで、そりゃァ大鳥居が居づらそう。おじいちゃんの店は、もう古くて、きったなくて、今にも壊れそう。
なんかですね、現代に対してイヤミを云ってるような、それこそ執念で建っているような店。
「罰当りなんだよ、こいつらは…」
くしゃくしゃになった折れそうな煙草を、炭火に近づけて火をつける。
「建物に文句いったって、しょうがないよ！」
とはボク。
「そりゃそうだけどね、罰当りは罰当り…ね」
凄いわけですよ、こういう意見の執念は。
「こーゆーことあたりを、マンガにしりゃァいいのにねえ、バカ騒ぎばかりやってねえでさ」
そーゆーことなんスね。

要約すればですね、鳥居より高い建物を建てちゃった参詣の道ばたにある面々に、罰を当るような作品を作ってくれということ。

あたしは知りませんけど、聞いた以上は伝えるのも粋なもんじゃなかろうかと…。てなことです。

「最近は面白くねえことばっかりよー」

またもや始まります。そっと時計みるけど、休みはまだある。30分以上ある。しょうがねえから、キッタネェ状態の『こち亀』を手にとる。めくる。なんかヤキトリのタレの香りがいい。でもキタネェなあ。

まてよ、俺もヒドイ老眼になって来た。両津のおまわりが自転車で走る。おッ、足もとがヤバイよ。つっかけ履いてチャリンコ動かしてるのか、クツなのか、よく見えねえ。どうも老眼というのは半年単位、いや、一か月単位で進行しているみたい。『こち亀』と老眼の巻。

「なんであんな野暮なもん走らせるかねえ」

「なんスか、それ?」

とはボク。

まだ火のおきてねえ炭を指でつまみながら、ほじくったりしてる。〝熱くねぇのかねえ〟と思うボク。
「そりゃ多少は熱いよ。これも焼き鳥屋の見栄ってもんかね、ヒヒヒ…」
なるほど天麩羅を揚げる職人が、指を油の中へ平気でつけてサ、シロウトを驚かせたりするのあるでしょう。あれなんだね、このおいちゃんも。
「指先でやんねえとサ、火の気持ちが解んねえのねえ」
いいこと云います。火の気持ちだって。こーゆーことを平然と云ってのける江戸ッ子って好きですねえ。
赤い二段重ねのバスが走るのが気に入らねえらしいのね。あるでしょう、こーゆーバスがサ。二段重ね大衆乗用車赤色って奴。
「あんなもん走らせて、どーすんのかねえ。それよりサ、あらヨ！てなかんじで人力車でもツーっと走ってる方が粋じゃないの。そう思わない、カントクさん？」
ま、そういう考えもあることはあるけど、そうだァ、これも『こち亀』あたりでやってくんないかなァ。
おいちゃんの話を聞いてると、まるで世界が『こち亀』的ムードになるから、たまらない。

「前の飴屋ね、笑っちゃうよ。店あけてサ、いちばん最初にやってくんのが、ど鳩の夫婦よ。この頃ね、自動ドアーのメカニズムってえの覚えちゃってサ、平気で夫婦で出入りしてんのよ。時代だよねえ」

「鳩の夫婦が客ですか？」

「そうよ、粋なもんじゃねえかァ。おれんとこの店じゃ、あり得ねえな。焼き鳥屋がシャッター開けたら、最初の客が鳩じゃ困っちゃうよねぇ」

この話いいでしょう。たまんないッスね。私ですね、あまりにもいい話なんで、この飴屋さんにいきましたよ。ほんとです。開店してすぐじゃないスけど、確かに店内に鳩が二羽、ヨタヨタ歩いておりまして、客の方が、人間サマの方が鳩に遠慮してるってかんじです。

下町を歩いてたりすると、あの素敵な何気ない街の実景があるじゃないスか。あれ好きなんですよね、ボクは。『こち亀』に出てくる下町の、寸描ばかりの個展なんてやってくんないスかねえ。

歩いていると、ブロック塀の角から両津のチャリンコが急に飛び出してきたりしてねえ。

麗子ちゃんが路地裏で、ガキとたわむれている情景とか、長髪の中川が、部長に怒られながらの風景とかサ。

『こち亀』ってえのは、下町ボケしてないとこも好き。あんまし思い入れすぎるとイヤミになるし、といって全然なしでも困る。「ダウンタウンコミック」として、立派に進んでもらいたいなァって思ったりもする。なにしろ老眼のファンも居ることだしね。

それと気づいたんだけど、両津のポリさんって、意外にオタク風な趣味持ってんのいいスねえ。特にさァ、鉄道模型マニアってての、あれいいスよ。リバロッシのNゲージとか、ビッグボーイなんてたまんないスねえ。Nゲージって9mmですよね、線路の幅がサ。

ボクも好きなんスよ。なにしろこの国に鉄道の無い時に、ペリーが持ってきたのがSLの模型ですからねえ。そう、ボク好きなの、勝鬨橋が開く話いいなァ、あれ。それからァ、あれ？　もうページが無い。嗚呼！　もっと云いたいこと一杯あるけど『こち亀』は不滅でーす、てこと。

掲載作品は集英社より刊行されたジャンプ・コミックス『こちら葛飾区亀有公園前派出所』第66巻（1990年10月）第67巻（同12月）第68巻（1991年2月）の中から、著者自らが精選して収録したものです。

 集英社文庫(コミック版)

こちら葛飾区亀有公園前派出所 5

1996年4月23日 第1刷
2009年7月31日 第17刷

定価はカバーに表示してあります。

著 者 秋本 治

発行者 太田富雄

発行所 株式会社 集英社
東京都千代田区一ツ橋2－5－10
〒101-8050
03(3230)6251(編集部)
電話 03(3230)6393(販売部)
03(3230)6080(読者係)

印 刷 図書印刷株式会社

ISBN4-08-617105-8 C0179